そして、インドネシアの「今」を踏まえて、日本とインドネシアの関係を再検証する（第7章）。最後に、本書のメッセージをまとめ、二一世紀の経済大国を目指すインドネシアを展望したい（終章）。

目次

第4章　フルセット主義Ver.2・0の行方

※本書中、とくに断りのない写真は著者の撮影による

経済大国インドネシア

第1章

新興経済大国への道

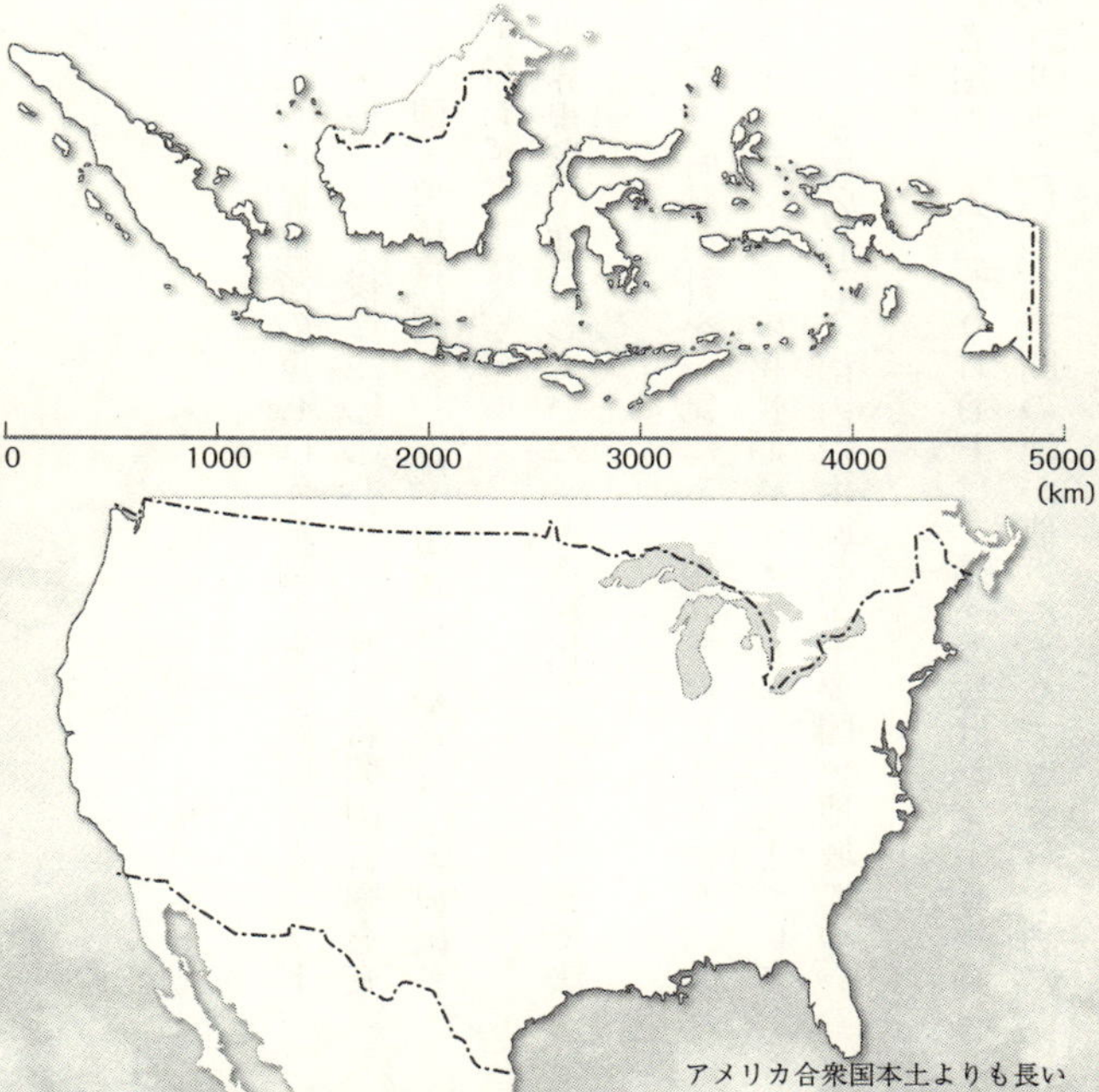

アメリカ合衆国本土よりも長い
インドネシアの東西幅

1　世界のなかのインドネシア

人口の世紀へ

二〇〇八～〇九年の世界金融危機を境に、世界経済の重心は先進国から新興国へとシフトした、とよくいわれる。実際、リーマン・ショック後の二〇〇八年一一月に新興国首脳を交えて初めて開かれたG20サミット（二〇ヵ国・地域首脳会合）は、現在G7やG8（主要国首脳会議）に代わる国際経済協議の中心的舞台になっている。

けれども、この現象は、前世紀から世界規模で進行していた「ある変化」がここへきて決定的になっただけではなかろうか。

「ある変化」とは何かをみるために、ここで時計の針を一気に二〇〇〇年戻してみよう。図1－1は、イギリスの経済学者アンガス・マディソンの超長期経済・人口推計にもとづいて、紀元一年から二〇〇八年までの一人当たり実質GDP（国内総生産）を主要国・地域について描いたものである。

これをみると、一七〇〇年頃までの各国の一人当たりGDPは、頭一つ抜けたヨーロッパ地域が一方にあり、南北アメリカ、アフリカといった未開の地が他方にあり、これらを別にすると、おおむね世界平均の水準あたりにひと固まりになって停滞していた。

ところが、産業革命によって非連続的な構造変化が起きる。人力、馬力から機械動力に移行したヨーロッパとアメリカの一人当たりGDP成長率が立ち上がり、一八〇〇年代後半にはロシア、次いで日本が非連続的スパートを開始する。対照的に、中国とインドは、一九〇〇年代半ばにいたるまで悠久の停滞のなかに沈んでいた。

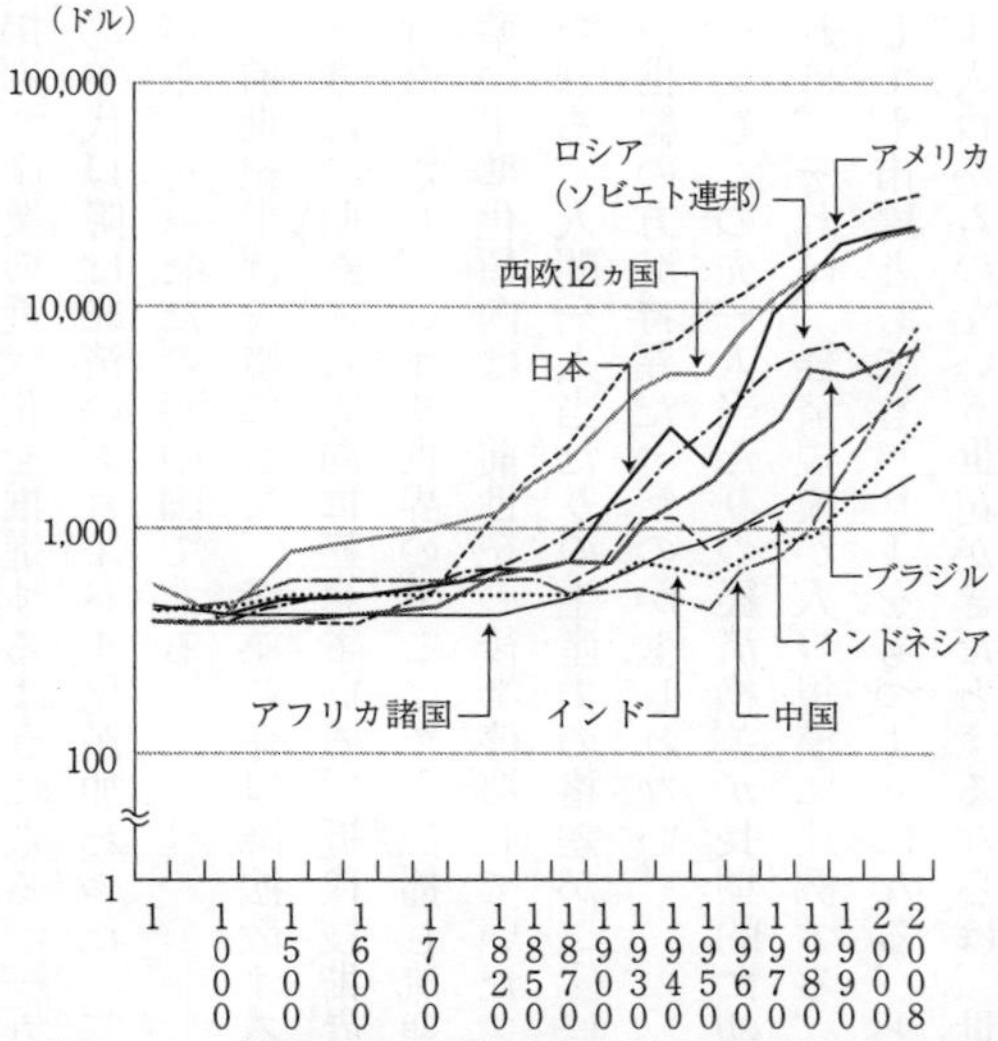

図1－1　世界各国・地域の1人当たり実質GDPの長期的変遷

（注）各国通貨を購買力平価で換算した国際ゲアリー＝ケイミス（Geary＝Khamis）ドルの1990年基準による実質値。国名は現在の領土を基準にしている

（出所）アンガス・マディソン長期統計より作成

一九〇〇年代の半ばは、産業革命に匹敵する時代の画期になった。植民地支配と戦火から解放された地域が、過去二〇〇年余りの産業革命の成果をとり入れ、「開発」や「改革開放」を

掲げて産業の近代化を推進するようになる。一九八〇年代以降は情報革命が、そして一九九〇年代以降は経済のグローバル化が加わった。三段くらいギアを入れ替えて、最も激しいスパートをみせたのが中国である。

前世紀半ばを境にして、産業革命以降拡散する方向にあった各国・地域の一人当たり経済水準は、収斂《しゅうれん》する方向に転じている。近代技術は、もはや一握りの植民地支配国の独占物ではなくなり、いまや世界のどこにでも伝播《でんぱ》し流通し得るようになった。一人当たりGDP水準の平準化傾向は、前世紀の後半停滞していたアフリカにも及び始めているようにみえる。むしろ、人間一人当たりの生産力の格差が二〇倍以上にも拡大していった産業革命後の二～三世紀の方が特異だったのかもしれない。

もしこの先一人当たりの経済格差が長期的にゆっくりと縮まっていく方向にあるのだとすれば、それは、経済規模が人口規模に比例する、つまり、人口の多い国や地域が、生産力としても市場としてもパワーをもつようになる、ということである。

人口がものをいう世紀がきたとするならば、世界第四位の人口を擁《よう》するインドネシアに注目し、その成長可能性を他の新興国やアジア諸国との比較において吟味しておくことは時宜にかなったことだと思われる。まずは、世界のなかのインドネシアの現在の位置づけを確認するところから話を始めよう。

インドネシアの大国性

表１－１は、人口規模が世界一位〜二三位の国を、先進国（ＯＥＣＤ〈経済協力開発機構〉加盟国）か新興国か、新興国の場合は名目ＧＤＰが世界で二〇位以内か二一位以下かによって三つのグループに分け、国別にＧＤＰと国土面積を比べたものである。

まず、第一の先進国グループは、名目ＧＤＰが約一五兆ドルと格段に大きいアメリカを筆頭に、五ヵ国がちょうど人口の大きい順に並んで世界のＧＤＰの上位を占めている。ただし、国土面積はアメリカを除いてどの国も比較的小さい。

第二のグループは、人口とＧＤＰの両方で世界二〇位以内に位置する新興国である。経済成長が順調に続けば、そう遠くない将来、第一グループの先進五ヵ国に追いつき追い越していく経済大国となる可能性をもつグループである。インドネシアは、このグループに属している。

新興経済大国の先頭をいくのが、周知のとおり、中国とインドである。中国とインドの人口規模は別格である。中国の名目ＧＤＰは二〇一〇年に約六兆ドルで日本を抜いた。物価の違いを考慮した購買力平価によるＧＤＰは、正確な推計が難しく議論のあるところだが、表に掲げた世界銀行の推計によれば中国のＧＤＰはすでに日本の二倍を超え、インドも日本に

国名	人口		国内総生産(GDP)				国土面積	
			名目		購買力平価			
	億人	順位	10億ドル	順位	10億ドル	順位	万km²	順位
先進国								
アメリカ	3.11	3	14,582	1	14,582	1	963	3
日本	1.27	10	5,498	3	4,333	3	38	61
ドイツ	0.82	14	3,310	4	3,071	5	36	62
フランス	0.65	21	2,560	5	2,194	8	55	43
イギリス	0.62	22	2,246	6	2,231	7	24	79
新興国／名目GDP 20位以内								
中国	13.41	1	5,879	2	10,085	2	960	4
インド	11.91	2	1,729	9	4,199	4	329	7
インドネシア	2.38	4	707	18	1,030	16	191	16
ブラジル	1.91	5	2,088	7	2,169	9	852	5
ロシア	1.42	9	1,480	11	2,812	6	1,710	1
メキシコ	1.12	11	1,040	13	1,652	11	196	15
トルコ	0.74	18	735	17	1,116	15	78	37
新興国／名目GDP 21位以下								
パキスタン	1.71	6	175	44	464	26	80	36
ナイジェリア	1.58	7	194	43	374	34	92	32
バングラデシュ	1.50	8	100	57	244	48	14	94
フィリピン	0.94	12	200	47	367	35	30	72
ベトナム	0.86	13	104	55	277	43	33	65
エジプト	0.79	16	219	41	510	25	100	30
イラン	0.75	17	357	26	819	18	163	18
タイ	0.67	20	319	32	587	23	51	50

表1－1　人口上位22ヵ国の経済規模比較（2010年）

（注）ドイツ、ベトナム、タイの人口は2009年時点。名目GDPが60位以下のエチオピアとコンゴ民主共和国は省略した

（出所）人口は各国政府統計、GDPは世界銀行 *World Development Indicators*、国土面積は国連 *Demographic Yearbook*

肉薄してきている。そこにブラジルとロシアを加えた四ヵ国は、国土面積でも世界一〇位以内に入る。人口、国土、経済規模からみた大国性が、BRICsと名づけられて注目される所以《ゆえん》であろう。

この第二グループのなかにあって、インドネシアは、人口ではBRICsのまん中に堂々と割って入っている。二億四〇〇〇万人近い人口は、ロシアの一・七倍であり、メキシコの二倍以上である。国土面積でみても、インドネシアとメキシコは世界二〇位以内に位置しており、BRICsに次いでバランスのとれた大国の要件をそなえている。

表中の国土面積は陸地面積（湖沼や河川などの内水を含む）だが、「海の大国」であるインドネシアは、領海（沿岸から一二海里、約二二キロメートルまでの範囲の水域）が陸地の二倍近い三二〇万平方キロメートルもある。ミャンマーの旧首都ヤンゴンよりも西に位置するスマトラ島の西端から、東京よりも東にあるパプアの国境線東端まで、東西五一〇〇キロメートルにおよぶ海域は、ちょうどアメリカ合衆国の陸地部分がすっぽり入る大きさである（本章の扉の地図を参照）。

だが、こうした人口や国土の大きさに比して、インドネシアのGDPは第二グループのなかで最も小さい。つまり、インドネシアは人口や国土の規模に由来する優位性をまだ充分に経済面に活かせていないといえそうだ。これを、近い将来の伸びしろが大きいとみるか、それとも大国性を経済力に転化する条件に欠けているとみるか、まさにその点を見極めることが本書の課題になる。

第三のグループは、人口では世界二〇位以内に入るものの、GDPでは二一位以下の国である。国土面積は、イランを除き、第二グループよりも総じて小さめである。ASEAN加盟国からはフィリピン、ベトナム、タイがこのグループに入る。これら第三グループに属する国々に比べて、インドネシアは人口を背景にした経済大国候補として相対的に有利なポジションにいることがわかる。

外生ショックへの耐性

では、経済規模と成長パフォーマンスとの関係はどうだろうか。

ここでは、世界経済が実質三・九%成長と好調だった二〇〇七年から、一〇〇年に一度の不況といわれたマイナス一・九%成長の二〇〇九年までの三年間の平均成長率をとり、アメリカ発の金融危機という外生的ショックを織り込んだ形で成長パフォーマンスを比較する。

図1―2は、縦軸に名目GDPを、横軸に二〇〇七～〇九年の平均実質GDP成長率をとって、名目GDPでみた世界上位六〇ヵ国のパフォーマンス分布を示したものである。

図から明らかなように、経済規模が世界平均よりも大きい国の多くは成長率が世界平均より低い領域（図の左上）に集まっている。この領域に入るのはすべてＯＥＣＤ加盟の先進国である。ＯＥＣＤ諸国は、三年間の平均成長率がマイナスに落ち込んだ国も多く、経済規模の大小を問わず金融危機の影響が甚大だったことを示している。

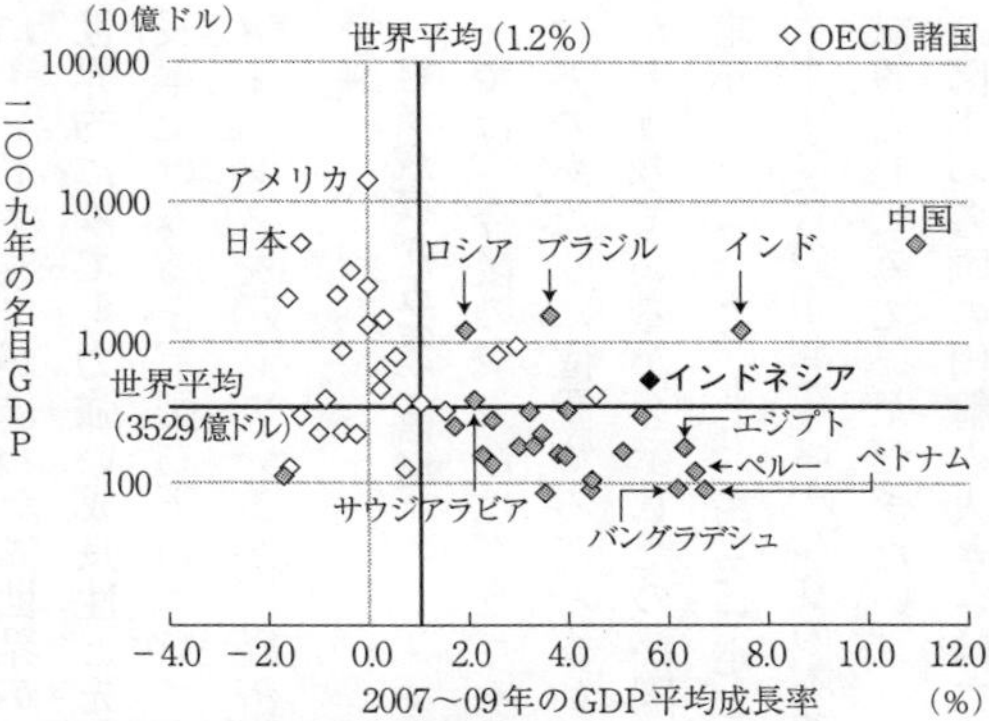

図１－２　経済規模と成長パフォーマンス
（出所）*World Development Indicators*

対照的に、経済規模が平均よりも小さい国は平均より高成長の領域（図の右下）に多くが分布し、そのほとんどが非ＯＥＣＤ加盟の新興国・発展途上国である。経済規模と成長性とが逆相関の関係にあることが、金融危機を受けてより鮮明に表れている。

そのなかで、経済規模と成長率がともに世界平均以上だった国は、六〇ヵ国中九ヵ国だけだった（図の右上）。ＯＥＣＤ加盟三ヵ国（オーストラリア、韓国、ポーランド）、ＢＲＩＣｓ四ヵ国、インドネシア、サウジアラビアである。

成長率の高さで中国、インドが突出しているが、それに続くのがインドネシアである。二〇〇九年にインドネシアがにわかに世界から注目された理由がここに表れている。このアジア三国は、世界的にみても力強い成長性と先進国発の外生ショックに対する耐性を示したといえる。成長率だけみると、図右下のエジプト、ペルー、ベトナム、バングラデシュの四ヵ国も高パフォーマンスを示しているが、経済規模も兼ね備えているのがインドネシアということになる。

経済規模が五年で倍増

では、今後の成長性はどうだろうか。各国の経済規模はどのくらい拡大し、インドネシアはどのあたりに位置するだろうか。これを、各国政府の目標または予測値を用いて、当事者がどうみているかを示したのが図1-3である。ここではイメージしやすいように円建てで表示した（一ドル＝九〇円で一定と仮定）。もちろん、為替変動やインフレ率（GDPデフレーター）などの予測にはかなりの不確実性をともなうが、おおよそのイメージをつかむための試算としてみていただきたい。

図中の各国の円盤の大きさは二〇〇九年の名目GDPを表し、円柱の高さは二〇一四年までの五年間の名目GDP増加分を示している。たとえば、インドネシア政府は、約五〇兆円の名目GDPを五年間でさらに五〇兆円伸ばして約一〇〇兆円に倍増させるという目標を立てている。

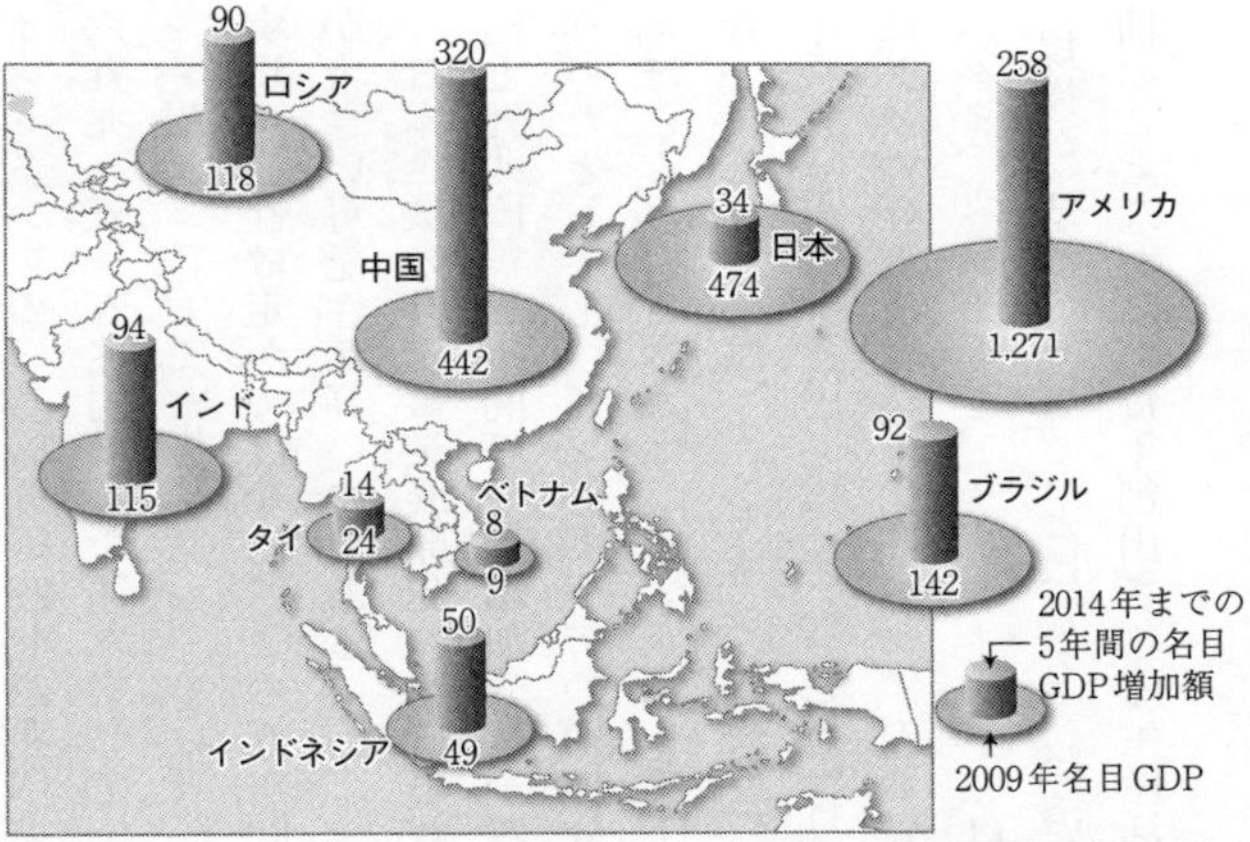

図１－３　アジア主要国・アメリカ・ブラジルの経済規模と今後５年の伸び（円建て換算：兆円）
（出所）各国政府統計および政府目標・予測にもとづき作成

この五年間の経済規模の拡大が最も著しいのは中国の三二〇兆円、次いでアメリカの二五八兆円である。中国は、二〇〇九年時点の名目ＧＤＰはアメリカの約三分の一であるにもかかわらず、予想増加分はアメリカを大きく上回っている。世界の有力企業が熾《し》烈《れつ》な競争を承知のうえでこぞって中国市場を目指すのも、この並外れた市場拡大への期待ゆえにほかならない。

　この二大国に続くのがインド、ブラジル、ロシアで、名目ＧＤＰの予想増加分はいずれも約九〇兆円である。それに次ぐ位置にあるのが、アジアではインドネシアの五〇兆円ということになる。

一方、日本の名目ＧＤＰは、規模こそ

インドネシアの一〇倍近い四七四兆円と大きいが、一九九一年以来ほぼ二〇年にわたって四六九兆～五一五兆円の間を往き来している。図中の予想増加分三四兆円は、年率名目成長率一・四％（二〇一〇年政府予測）を延長して算出したものだが、デフレ傾向を勘案すると、実現可能性は定かではない。この五年間の名目GDP増加分は、日本よりインドネシアの方が大きい可能性が高いのである。

日本企業の有望事業展開先に挙げられるタイとベトナムは、名目GDPがそれぞれ二四兆円と九兆円、五年間の予想増加分は一四兆円、八兆円である。仮に五年で倍増の高度成長を遂げたとしても、インドネシアの増加分のそれぞれ約半分、五分の一にすぎない。

「ほとんどの日本人は、インドネシアよりタイの経済の方が大きいと思っておられるのではないでしょうか」。インドネシア政府の投資振興の旗振り役、ギタ・ウィルヤワン投資調整庁長官（現商業大臣）は二〇一〇年に日本で開かれたセミナーでこう問いかけたが、たしかにタイの経済規模がインドネシアの半分にすぎないと認識している日本人は少ないだろう。

「タイ、ベトナムと、インドネシアとは何が違うのか」という問いに対する一つの答えは、「規模が違う」ということになる。経済規模の大きい国がひとたび成長を始めれば、当たり前のことながら、毎年創出される生産活動と市場の規模もまた、相応に大きい。

2 BRICsは幻か

持続的成長の基礎要件

インドネシアのもつ規模ゆえの優位性は確認できたとして、問題は、インドネシアがこれから中長期的にみて持続的な成長力を発揮できるのか、という点にある。この問いに答えるには、インドネシアの「今」だけをみていてもわからない。少し長いタイムスパンでこれまでの歴史をたどるところに答えを得るヒントがある。

本書の初めに紹介したように、「BRICストーリーにもう一つ〝I〟を加えるか」と題したモルガン・スタンレー・レポートが出されたのは、世界同時不況の年、二〇〇九年であった。だが、遡《さかのぼ》ること一四年も前の一九九五年に、OECD閣僚理事会はBRICsにインドネシアを加えた五ヵ国を次期経済大国とみなしていた。なぜインドネシアだけがそこから脱落してしまったのだろうか。

図1－4に、一九六〇年代初めから約五〇年間のインドネシアの実質経済成長率を描いた。国家指導者、あるいは政治体制によって、成長パフォーマンスに差があることが、この図に表れている。

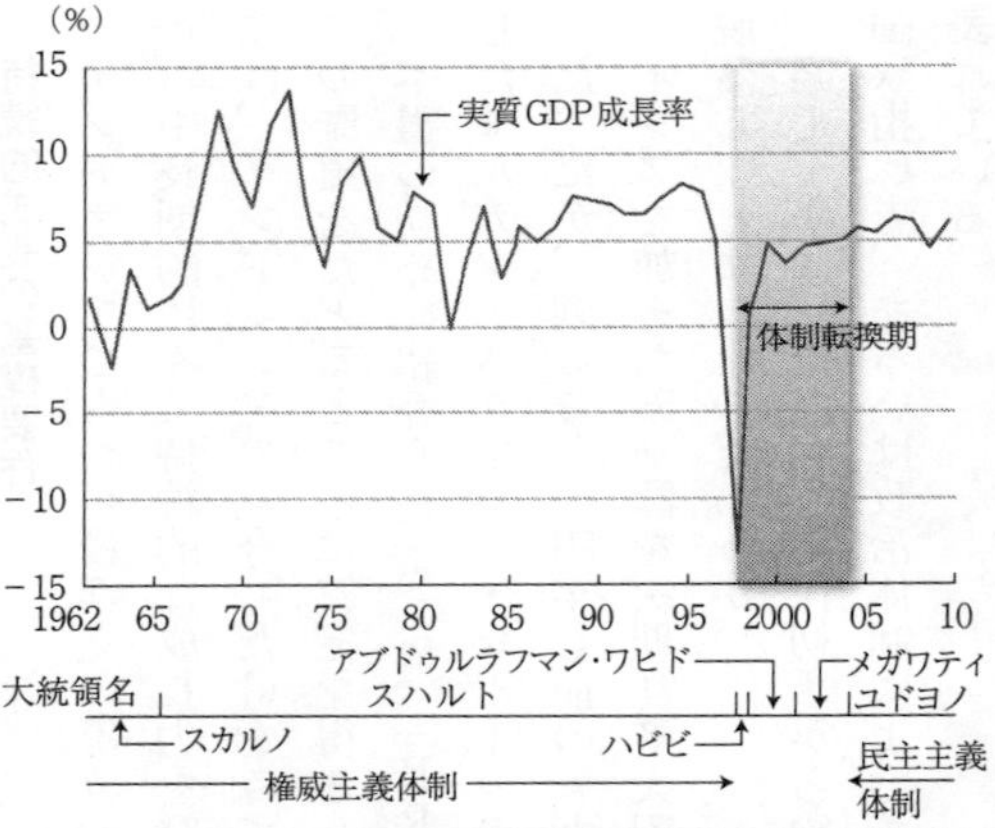

図1－4　インドネシアの実質経済成長率と政治体制
（出所）インドネシア中央統計庁

一九六六年から一九九八年まで三二年間続いたスハルト政権は、インドネシアに「開発の時代」をもたらした。大統領に権限を集中させた権威主義体制を敷き、政治を安定させ、「開発」を国家目標に掲げ、開発政策を司《つかさど》る諸制度を整え、「上からの工業化」を推進した。その結果、景気変動はありながらも、一九六八〜九六年の成長率は年平均七・〇%に達した。権威主義体制の基礎を築いたスカルノ政権が、内政不安を抱え、開発を支える制度を整えられず、経済破綻《はたん》にいたったのとは対照的であった。

スハルト政権下の持続的な高成長によって、インドネシアは一九九三年に世界銀行の『東アジアの奇跡』のなかで「高パフォーマンスアジア経済群（HPAEs）」の一つに加えられた。HPAEsとは、日本、NIEs（韓国、台湾、香港、シンガポール）、マレーシア、タイ、そしてインドネシアの八ヵ国・地域であった。

その二年後の一九九五年、OECD閣僚理事会は、ブラジル、中国、インド、インドネシア、ロシアの五ヵ国を「OECDが関係を強化すべき次期経済大国」に定めた。翌九六年、同理事会に提出された報告書には「ビッグ・ファイブ」の呼称が用いられていた。

ところが、直後の一九九七年、インドネシアはタイを震源地にしたアジア通貨危機に襲われ、翌九八年にスハルト政権が崩壊し、一気にその後七年におよぶ激動の体制転換期（一九九八〜二〇〇四年）に突入した。

経済成長率は、政権が崩壊した一九九八年にマイナス一三％にまで転落した。平均七％成長を続けてきた経済にとって、その落差は二〇ポイント。図にみるとおり、まさしく「垂直落下（フリーフォール）」状態だった。その後二〇〇六年まで、アジア通貨危機から数えるとちょうど一〇年間にわたって、成長率は一度も六％に届かなかった。

こうしてインドネシアは「ビッグ・ファイブ」からひとり脱落し、国際経済の表舞台から姿を消した。「BRICs」は幻に終わった。インドネシアとは対照的に、BRICs、とりわけ中国とインドは、二〇〇〇年代にみるみる「輝ける成長のアジア」の牽引役に躍進した。

二〇〇四年、インドネシアは建国史上初めての直接大統領選挙を成功させ、スシロ・バンバン・ユドヨノが大統領に選ばれた。これをもって、インドネシアに民主主義体制が確立した、といってよい。体制転換期は収束した。この七年間に何が変わったのか、詳しくは第3章でみるとして、ここで結論を先取りしていうならば、インドネシアは国家統治体制を根本から作り替え、政治体制の安定をとり戻した。スハルト体制という一つの制度的均衡点を離れ、別の新しい制度的均衡点に到達した。

政治体制が安定すると、経済も再び成長を持続できる素地が整った。経済成長率は二〇〇七年に一〇年ぶりに六％台に回復した。インドネシアの来し方五〇年の軌跡が示すのは、持続的な成長力を左右する一つのカギは、政治体制の安定にあるということである。

六％が明暗の分かれ目

経済成長率が一度も六％に届かなかった一〇年間（一九九七〜二〇〇六年）は、インドネシアにとって暗い時代になった。

この一〇年間の平均成長率は年率二・六％。一九九八年のマイナス一三％を除くと、年率四・四％だった。四％台の成長ならば、それほど悪くないではないか、と思われるかもしれない。だが、インドネシアでは、成長率が六％を超えたか超えないかが明暗の分かれ目になる。六％に届かないと、失業が増えてしまうのだ。

インドネシアでは毎年、二〇〇万～二五〇万人の新規参入労働力が発生する。これを吸収するためには、雇用弾力性（一単位の経済成長に対する雇用の伸び）を〇・四と仮定すると、最低六％の成長が必要になる。インドネシア政府は、スハルト政権時代から「六％」を雇用維持に必要な最低成長水準として意識してきた。

そして実際、六％成長に届かなかったこの期間に、完全失業率は四・七％（一九九七年）から一一・二％（二〇〇五年）へと一直線に上昇を続けた。危機直後よりもむしろ、四％台の成長を続けた期間の方が失業は悪化していったのである。完全失業率は二〇〇五～〇六年に二桁《けた》を記録した後、一〇年ぶりに六％成長を回復した二〇〇七年に一桁に戻り、その後六・八％（二〇一一年）まで下がってきた。

失業と貧困の削減は、初めて国民に直接選ばれたユドヨノ大統領にとって、究極の経済目標である。ユドヨノ政権は、二〇〇四年の発足当初、五年の任期（二〇〇五～〇九年）中に完全失業率を九・九％から五・一％へ、貧困人口比率を一六・六％から八・二％へ、それぞれ半減させる目標を立てた。だが結果は、完全失業率は七・九％、貧困人口比率は一四・二％と、わずか二ポイントずつしか下がらなかった。なぜなら、六％成長に達したのが任期三年目で、五年間の平均成長率が五・六％と、六％に届かなかったからである。

「六％成長なくして、失業と貧困の削減なし」。この命題は、第一期ユドヨノ政権の苦い実績をもって、改めて政府首脳の脳裏に焼きつけられた。再選を果たしたユドヨノ大統領は、二期目（二〇一〇～一四年）にこそ失業と貧困の比率半減を何としても実現しなければならない。そこで、成長目標を年平均六・五五％に設定して、成長重視の政策スタンスを鮮明に打ち出している。

年平均六・五五％の成長が実現すれば、政府の計算では、任期が終わる二〇一四年にインドネシアの名目GDPは一・一兆ドル（約一〇〇兆円）、一人当たり名目GDPは四五〇〇ドルに達する。

ここからわかるのは、国の規模の大きさに成長力がともなうことがいかに大切かということである。大規模な人口は、成長がともなえば迫力あるエンジンとして作動するが、逆に成長がともなわなければたちまち失業や貧困となって社会の底辺に堆積《たいせき》していく。その明暗の分かれ目が、インドネシアの場合は「六％」という成長水準にある。

資源大国の光と影

インドネシアは、人口だけでなく天然資源にも恵まれた国である。だが、この資源の豊かさもまた、ひとつ間違えば成長の阻害要因になる。

「天然資源の豊かな国は、なぜ資源の乏しい国よりも経済発展できないのか」。この問いをめぐっては、これまでに多くの議論が重ねられ、今では「資源の呪《のろ》い（Resource Curse）」（リチャード・オーティ、一九九三年）命題《テーゼ》として知られている。

この問いに対する数ある仮説のなかで、インドネシアの文脈に照らして重要なのは「オランダ病（the Dutch Disease）」であろう。天然資源の輸出収入が急増して内需が拡大したとしよう。貿易財（工業製品）は輸入できるが、輸入できない非貿易財（サービス業）は相対的に価格が上昇し、国内の生産要素は貿易財部門から非貿易財部門へとシフトしていく。また、外貨収入が増加すると実質為替レートが上昇し、貿易財の輸出競争力が低下してしまう。こうして国内の貿易財部門が弱体化し、脱工業化が起きる症状をオランダ病という。一九七〇年代に天然ガス輸出ブームに沸いたオランダがこの病にかかったことから名づけられた。

インドネシアが産する鉱物資源としてよく知られているのは、石油と天然ガスである。一九七四年と一九七九年の二度の石油ブーム（日本では石油ショック）の際にインドネシアは「オランダ病」を発症しかけたが、一九八〇年代の一連の経済改革によってこれを克服した。OPEC（石油輸出国機構）加盟国のなかでは数少ない改革の成功例と評価されている。

ただし、近年は産油国としての存在感は低下している。既存の有力油田の産出量が減少したうえに、スハルト体制崩壊後に国際メジャーの開発投資がめっきり減退したからである。旺盛《おうせい》な国内消費が低迷する生産量を上回り、輸出余力が落ちたため、二〇〇八年にインドネシアはOPECから脱退した。日本の原油輸入に占めるインドネシアの比重も一五%(一九八〇年)から二%(二〇一〇年)に低下した。

一方、天然ガスは世界の二・六%、第九位の生産国であり、二〇〇七年にカタールに抜かれるまでは世界最大のLNG(液化天然ガス)輸出国だった。世界最大のLNG輸入国である日本に対して、輸入量の一八%(二〇一〇年)を供給している最大の輸入元である。

しかし、石油や天然ガスは、世界に占めるインドネシアの生産シェアからみると、実はさほど大きくない。シェアがより高いのは、スズ、ニッケル、銅、石炭、ジルコニウム、金である(表1-2)。このうち、ニッケルとジルコニウムはレアメタル(希少金属)に属する。産地は、スマトラ、カリマンタン、ヌサトゥンガラ、スラウェシ、ハルマヘラ、パプアなど、ジャワ島外の島々なのが特徴である(後掲図2-7参照)。

鉱物資源のほかに、国際価格の変動に影響されやすいインドネシアの主要資源には、水産資源のマグロ、商品作物のパーム油、コーヒー、カカオなどがある。

これらの資源のうち、近年とみに輸出ブームの様相を呈しているのが石炭とパーム油である。石炭は世界における生産シェアは五%だが、産出量の七六%にあたる二・一億トン(二〇一〇年)を輸出し、オーストラリアに次ぐ世界第二位の輸出国になっている。輸出先は、世界最大の輸入国である日本と第二位の中国で、とくに後者への輸出が急増している。パーム油は、二〇〇六年にマレーシアを抜いて世界最大の生産国かつ原油輸出国になった。パーム原油の輸出が急増している相手先は、中国とインドである。

これらはまことに景気の良い話に聞こえるが、しかしながら、すでに「オランダ病」の影が忍び寄っている。脱工業化の症状である。インドネシアの製造業の年平均成長率は、スハルト政権期にはＧＤＰの平均成長率を五ポイント上回る一二％であった。つまり、製造業が経済成長の牽引役を果たしていた。

ところが、スハルト政権崩壊後、製造業の成長率はみるみる鈍化し、ユドヨノ政権期にはＧＤＰ成長率を平均で二ポイント下回る四％で、経済成長の足を引っ張る存在になっている。とりわけ六％成長を回復した二〇〇七年以降に製造業成長率が低下しているのは、この「資源」輸出ブームと無関係ではない。

資源名	確認埋蔵量（2010年）		生産量（2010年）	
	量	シェア（%）	量	シェア（%）
石油	420万バレル	0.3	99万バレル／日	1.2
天然ガス	３兆㎥	1.6	820億㎥	2.6
スズ	80万トン	15.4	６万トン	23.0
ニッケル	390万トン	5.1	23万トン	15.0
銅	3000万トン	4.8	84万トン	5.2
石炭	55億トン	0.6	３億トン	5.0
ジルコニウム	…	…	６万トン	5.0
金	3000トン	5.9	120トン	4.8

表１－２　インドネシアの資源生産世界シェア
（出所）*BP Statistical Review of World Energy 2011, US Geological Survey 2011*

資源富裕国は、天然資源をそのまま切り売りするだけで短期的には成長できる。だが、それでは雇用創出や技術・知識の蓄積をともなった持続的な成長は難しい。持続的な成長力を確保するには、資源を内部蓄積に活用するための賢明な政策介入が必要になる。これはまさしく現在のインドネシアに課せられた課題である。

多様性と寛容性

——人口の規模が大きく、国土と資源に恵まれている。大人口は、大規模な生産地と市場を提供する一方で、失業と貧困の温床にもなり得る、いわば諸刃《もろは》の剣である。豊富な資源は、自国の発展の跳躍台にもなれば、逆に経済を脆弱《ぜいじゃく》にさせる原因にもなり得る、これまた諸刃の剣である。ここまでインドネシアについて述べてきた以上の特徴は、ＢＲＩＣｓにも当てはまる。

もう一つ共通点をつけ加えるならば、多民族国家という点である。最新の調査によれば、インドネシアには一一二八の民族集団、七四五の言語が確認できるという（二〇一〇年人口センサスおよび国家教育省『言語マップ』二〇一一年）。

逆に、ＢＲＩＣｓとインドネシアが異なるのは、すでに述べた「海の大国」という特徴である。インドネシアは、六〇〇〇余りの無人島を含む一万七五〇四の島々からなる世界最大の群島国家である。「陸の大国」である中国とインドをつなぐ航路上に位置し、古代より海を通じて西と東から両文明の波に洗われ続けてきた。この地政学的な配置と多島性が、多民族性とも相まって、この国の多様性をいっそう奥深いものにしている。

もう一つの重要な違いが宗教である。イスラム教徒は世界人口の二割を超えるが、ＢＲＩＣｓにはイスラム教徒が多数派を占める国が含まれていない。インドネシアは、総人口の八八％、約二億一〇〇〇万人という世界最大のイスラム教徒人口を抱える国である。

図１－５　国章ガルーダ・パンチャシラ

けれども、インドネシアは、隣国マレーシアと違ってイスラム教を国教にはしていない。それどころか、ヒンドゥー教のヴィシュヌ神を背に乗せて飛ぶ神の鳥、ガルーダを国章にしている（図1―5）。そのガルーダが胸に掲げる「建国五原則（パンチャシラ）」の第一原則は「唯一至高なる神」。その「神」は「アッラー」ではなく、インドネシア語の「トゥハン」があてられている。その意味するところは、イスラム、カトリック、プロテスタント、ヒンドゥー、仏教、儒教のうち、自身の信仰にしたがってそれぞれの「神（トゥハン）」に祈りなさい、ということである。建国の指導者たちが侃々諤々《かんかんがくがく》の議論の末に「アッラー」ではなく「トゥハン」とすることを決めた。

言語にも寛容の精神が表れている。インドネシアは、ＢＲＩＣｓ各国とは違って、最大民族集団の言語を国語にしなかった。人口の約四割を占めるジャワ人のジャワ語ではなく、文法がシンプルで表記が簡便なスマトラ中南部の海洋交易用語、ムラユ語（マレー語）を国語に採用した。

こうしたインドネシアの寛容性の背景には、大陸から南下してくる民族移動の波を、西から伝播してくる宗教の波を、次々に受容してきたこの地域の数千年の歴史がある。多民族集団、多宗教の共存が人々の懐の深さを培ってきたといってもよかろう。そして現在も、多数派が他に優越するのではなく、多様性の共存を国家が保証することで、インドネシアという国の統一を守っていこうとしているのである。

いったんは幻と消えたＢＲＩＩＣｓだったが、一四年の歳月を経て、再びその可能性が現実味を帯びてきた。インドネシアが経済大国への道をこれから順調に歩むためには、本章で述べてきたように、国の規模が持続的な成長力によって活かされることが求められる。そこで、次章では規模の源泉となる人口の動態について、もう少し深く立ち入って検討してみよう。

第2章

勃興する人口パワー

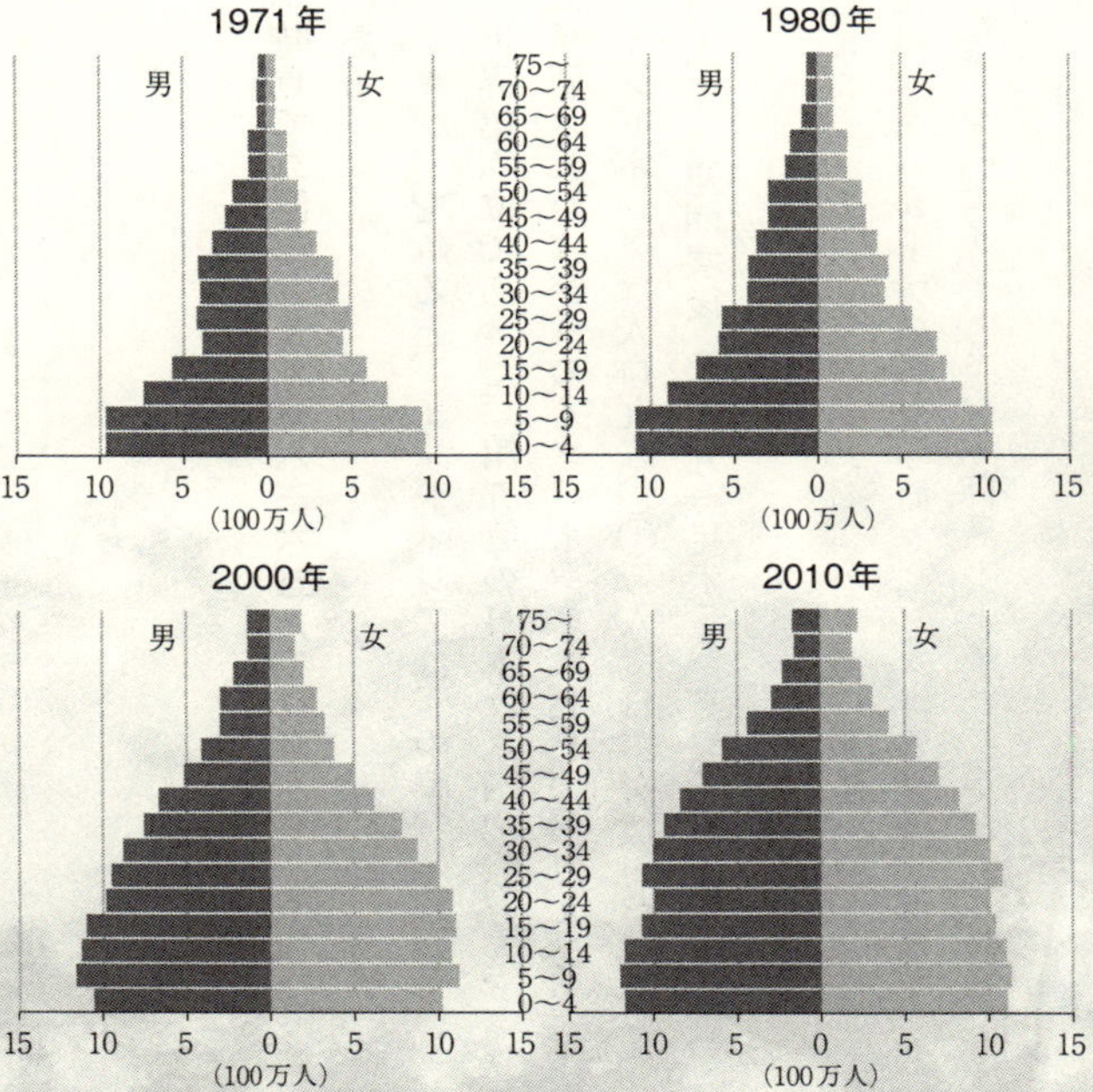

インドネシアの人口ピラミッドの変遷（出所：インドネシア中央統計庁）

1　大規模で若い人口

一〇〇年で日本の三倍に

インドネシアの人口は、二〇一〇年時点で二億三七五五万六三六三人（政府人口センサス）。一九九二年以来、世界第四位の位置にある。

少し遡って一九五〇年の世界人口ランキングをみると、インドネシアは、中国、インド、ソビエト連邦、アメリカ、日本に次ぐ世界第六位であった。第五位の日本は八四〇〇万人、独立主権国家として前年末に国際的に承認されたばかりのインドネシアは七七〇〇万人だった。ちょうど一〇年後の一九六〇年、インドネシアは人口九五〇〇万人で日本を抜いた。そして一九九二年、人口一億八五〇〇万人でソ連崩壊後（一九九一年末）のロシアの一億四八七〇万人よりも上位に立った。

それから五年後、人口は二億人を超えた。一九九七年二月四日、バリ島の東隣、ロンボク島に生まれた二億人目の男の赤ちゃんは、スハルト大統領から直々にワフユ・ヌサンタラアジ――「ワフユ（神の啓示）をもって授けられたインドネシア群島の王子」――という最大級の祝福を込めた名を贈られた。

二〇五〇年の世界人口ランキングに目を転ずると、インドネシアは二億九三〇〇万人でナイジェリアに抜かれて世界第五位と予測されている（二〇一〇年国連人口推計・中位推計）。後から追い上げてくるパキスタンとは一九〇〇万人、バングラデシュとはまだ九九〇〇万人の差があるので、その後パキスタンに抜かれたとしても第六位の地位は当分の間続きそうだ。インドネシアは、前世紀半ばの建国以来一〇〇年以上にわたって世界第四〜六位の人口順位を維持する可能性が大きい。

翻って日本の人口は、二〇〇四年の一億二七七九万人をピークに減少へと転じた。二〇五〇年には八八三三万〜一億三六〇万人にまで減少すると推計されている（国立社会保障・人口問題研究所「日本の将来推計人口」二〇〇六年）。一九五〇年に八〇〇〇万人前後で肩を並べていた日本とインドネシアの人口は、一〇〇年を経て、一方はピークを過ぎて一億人前後に、他方はその三倍の三億人近くに達する。縮む国と膨らむ国との対照が著しい。

本章では、人口という要素がインドネシアの持続的な成長を支えるパワーの源泉になるかどうかを、人口の構成、市場の形成という需要面、労働力の提供という供給面から考えてみたい。

「老いてゆかない」インドネシア

インドネシアでは、一〇年ごとに全国人口センサス（国勢調査）が行われる。二〇一〇年のセンサス結果は、ちょっとした驚きの事実を明らかにした。それまでインドネシア政府や国際機関が推計してきたどの値よりも総人口が大きかったのだ。それもそのはず、当然下がると想定されていた過去一〇年間の人口増加率が上がっていたのである。

政府は年平均人口増加率一・一四％（二〇〇五〜〇九年）を目標にしていたし、国連も一・二五％（二〇〇〇〜一〇年）を前提に推計していたが、実際の人口増加率は一・四九％（二〇〇〇〜一〇年）だった。これは、一九九〇年代の人口成長率一・四五％より、わずかではあるが、高い。二〇〇〇年代の世界の人口増加率一・二〇％に比べても高い。

近年関心が高まっている人口動態研究は、広くアジアにおいて日本以上に速いスピードで人口増加率が低下し少子高齢化が進みつつあることを明らかにしてきた。まさに「老いてゆくアジア（Aging Asia）」（大泉啓一郎、二〇〇七年）である。ところが、インドネシアに限っては、「老いてゆかない」現象が起きていたことになる。

スハルト時代のインドネシアは、「人口抑制の優等生」であった。人口増加率は、一九六〇年代の年平均二・一〇％から一九七〇年代に同二・三二％にやや上がったものの、その後は一九八〇年代に同一・九八％、一九九〇年代には同一・四五％と、一〇年ごとに〇・三〜

家族計画を啓蒙する５ルピア硬貨。家族４人の図柄と「家族計画・国民の福祉に向けて」の文字が鋳込まれている

○・五ポイントずつ着実に低下してきた（政府人口センサス）。この功績をもって、スハルト大統領は一九八九年に国連人口賞を授与されている。

実際、スハルト政権はかなり強力に人口抑制政策を推進した。一九七〇年に国家家族計画調整庁を設立し、全二七州と三〇〇を超える各県・市に同庁の地方事務所を開設した。そして、全国六万を数える各町村で保健所、診療所、助産婦などを通じて家族計画の啓蒙《けいもう》と実践を浸透させていった。「子供は二人で充分、男の子も女の子も同じ」を合言葉に、両親が子供二人を挟んで親子四人が手をつないで立っている図、あるいは「二人まで」を表すVサインのマークが、村の入り口の大看板に掲げられたりした。実質的な最低流通通貨である五ルピア硬貨の裏にも、手をつないだ四人家族の図柄が鋳込《いこ》まれた。

だが、スハルト政権の崩壊後、人口抑制もストップしていたことが、二〇一〇年人口センサスによって裏づけられた。そこには、強権的な人口抑制政策からの解放、民主化と分権化の影響があると考えられる。

たとえば、二〇〇一年の地方分権化後、国家家族計画調整庁の地方事務所の機能は地方政府に任されることになった。その結果、「女性エンパワーメント局」などに看板をかけ替える自治体や、家族計画事業自体を廃止する自治体も現れた。こうした自治体の言い分は、子供の数は政府が決めるのではなく両親が（あるいは、その両親の考え方によっては神様が）決めるものだ、というものである。国民の社会的自由権を尊重するようになった民主化後の空気がそこにはある。

ただしその後、行き過ぎた地方自治が見直されるにつれ（第3章参照）、自由権を尊重しながら家族計画の遂行を中央・地方政府と国民に義務づける人口・家族法（二〇〇九年）が制定され、家族計画事業で地方政府が満たすべき最低サービス基準（二〇一〇年）が定められた。

こうした経過を踏まえると、二〇一〇年以降、おそらくスハルト時代よりは緩やかなペースで、人口増加率は再び低下し始めると予想される。

人口ピラミッドでみる人口動態

一般に、発展途上国の人口動態は次のような変遷をたどることが知られている。最初は出生率も死亡率も高い「多産多死」の第一段階から始まる。次に出生率よりも先に死亡率が低下する「多産少死」の第二段階へ、さらに出生率も低下し始める「少産少死」の第三段階へと進む。そして出生率と死亡率が低位で長期的に安定する先進国型の「少子高齢化」の第四段階に移行していく。これが人口学でいう人口転換モデルである。

人口ピラミッドは、「多産多死」段階では痩せた棒状だが、「多産少死」になると底辺が広がってピラミッド型の三角形が現れる。「少産少死」に移行するにつれて底辺が縮まり、モスクの円屋根のような形に変わる。「少子高齢化」が進むと、やがて逆三角形に近づいていく。

インドネシアの人口ピラミッドは、本章の扉の図のように移り変わってきた。一九七一年の人口ピラミッドは、「多産多死」の棒状の上部と「多産少死」の土台とが非連続的に継ぎ合わさっている。植民地期と独立闘争期にあたる一九四〇年代までが「多産多死」、社会が安定した一九五〇年代に「多産少死」に移行して人口が増え始めたためである。一九五〇年代以降に生まれた層が、一九七一年の人口ピラミッドの二〇歳以下にあたる下部に三角形を作り始めている。一九八〇年の人口ピラミッドは、まさしく典型的な「多産少死」の三角形である。

二〇〇〇年になると、人口ピラミッドの底辺が縮まる「少産少死」への移行が見え始める。とはいえ、これを、同じ二〇〇〇年のタイや中国の人口ピラミッドと比べるとかなり違う。

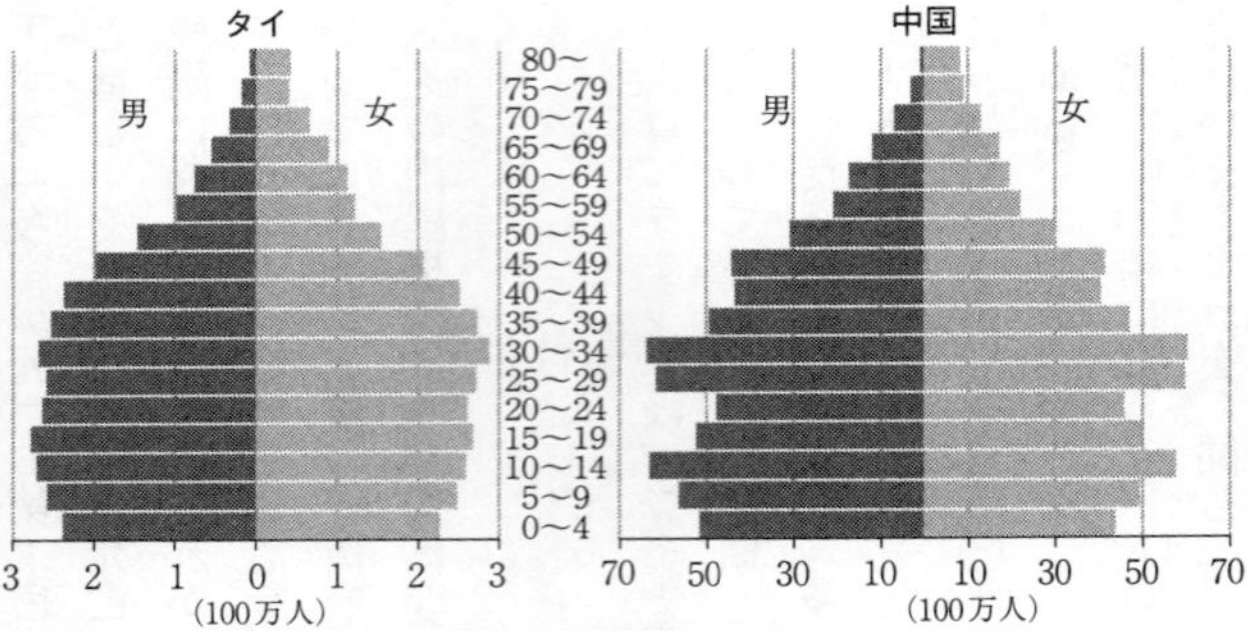

図２－１　タイと中国の人口ピラミッド（2000年）
（出所）国連人口推計（2010年版、中位推計）

タイと中国は、「少産少死」の特徴であるモスク型がよりはっきりと現れている（図２－１）。

インドネシアは、二〇一〇年の人口ピラミッドでさえモスク型にいたっていない。二〇〇〇年代に人口増加率が上がったため、土台部分にもう一つ膨らみができている。最大年齢層は五～九歳、人口の半分が二六歳以下である。

二〇三〇年のインドネシアの予測人口ピラミッドを作成すると、ようやくにして美しいモスク型が現れる。それでも最大年齢層はまだ二〇歳代だ。二〇五〇年においても最大年齢層は生産年齢人口のちょうど真ん中にあたる四〇歳代である。

同じ時期の日本の人口ピラミッドを描くと、団塊ジュニアに相当する最大年齢層が二〇三〇年に六〇歳代、二〇五〇年には八〇歳代という、世界の最先端をいく「少子高齢化」の逆三角形が現れる。

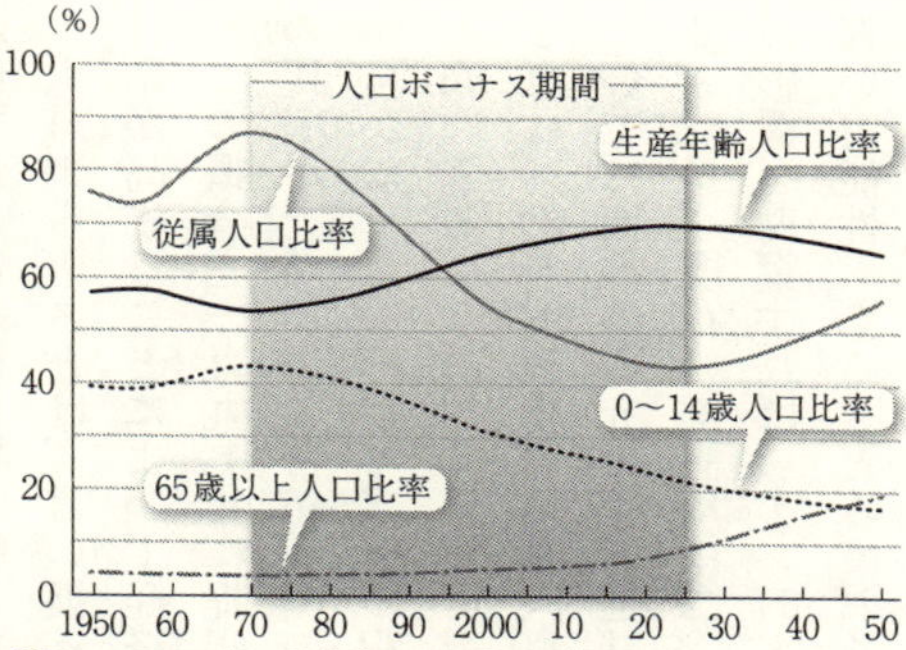

図2－2　インドネシアの人口ボーナス
（出所）国連人口推計（2010年版、中位推計）

タイ、ベトナムより長く続く人口ボーナス

人口ピラミッドが、ある一時点における一国の人口構成をいわば「輪切り」にしてみせてくれるとすれば、人口構成の時系列的な変化から浮かび上がるのが「人口ボーナス（demographic dividend または demographic bonus）」である。

人口の構成要素を「年少人口（〇～一四歳）」「生産年齢人口（一五～六四歳）」「高齢人口（六五歳以上）」の三つに区分し、それぞれが総人口に占める比率の時系列的変化を描いたのが図2－2である。この図で、生産年齢人口が総人口に占める割合（生産年齢人口比率）が上昇していく局面が「人口ボーナス」である。

同じことは、年少人口と高齢人口を合わせた「従属人口」を生産年齢人口で割った比率（従属人口比率 dependency ratio）が低下していく局面、すなわち、生産に従事しない従属人口を生産年齢人口が背負わなければならないその負担が軽くなっていく局面としても表される。

人口ボーナスとは、言い換えれば、出生率が低下し始め、生産年齢人口が総人口に占める比率が高まることによって経済成長が促進される効果のことである。

この概念を一九九七年に提唱した人口経済学者アンドリュー・メイソンは、生産年齢人口の比率が上がったことが一国の一人当たり所得を増加させたことを、アジア諸国の分析から明らかにした。そして、その背後に各国の人口抑制政策があったと指摘した。

図にみるように、インドネシアでは、一九七〇年頃から人口ボーナス期間が始まっている。これはスハルト政権による人口抑制政策の開始時期と一致する。人口ボーナス期間の終点については複数の研究による推計があるが、推計結果は二〇二五〜三〇年あたりに集中している。だが、既存の推計には二〇〇〇年代に出生率が上がったことは織り込まれていない。その影響を勘案すれば、インドネシアの人口ボーナス期間の終点は「早くて二〇三〇年、より遅い可能性もある」とみておくのが妥当であろう。

既存の二つの推計を併記する形で、人口ボーナス期間の平均終了時期が早い順にアジア主要国を並べたのが図2－3である。日本の人口ボーナス期間は、一九九〇年頃にすでに終了した。二〇一〇〜一五年には、タイ、韓国、中国が相次いで終了すると予測されている。インドネシアの人口ボーナス期間は、この三国やベトナムよりも長く、より遅くまで続くとみ

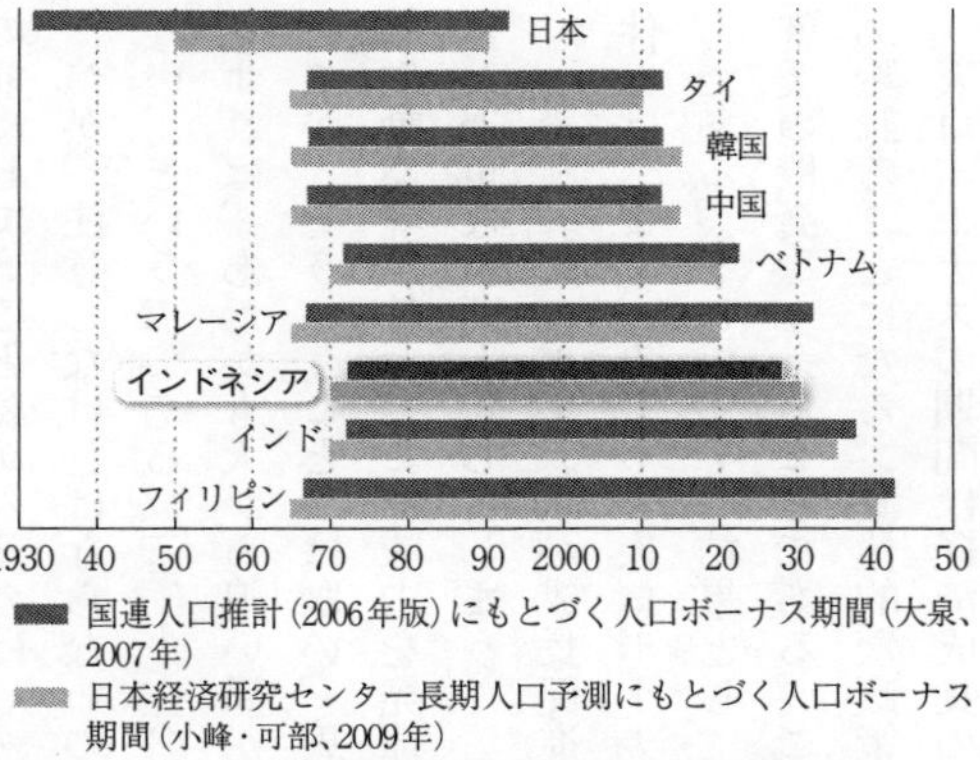

図２－３　アジア諸国の人口ボーナス期間の比較

られる。インドネシアより長く遅くまで続くのは、インドとフィリピンである。

人口ボーナスが意味するもの

インドネシアの人口ボーナス期間は、一九七〇年頃から二〇三〇年にかけて六〇年ほど続く可能性が高い。現在はその始点から四〇年あまりの地点にある。これから二〇三〇年までの約二〇年間、インドネシアは生産年齢人口比率が高く、従属人口に対する負担が軽い、人口ボーナス効果の大きい局面にさしかかる。

まさに馬力の大きなエンジンを装着した車のようなもので、次の二〇年はインドネシアにとって先進国へのキャッチアップに最も適した時期になる。これが、人口ボーナスを用いた分析から得られる第一の含意である。

インドネシアが今、持続的成長のチャンスを眼の前にしていると私がみるのは、一つにはこの人口ボーナスのゆえである。

だが、注意しなければならないのは、人口ボーナスが高成長を自動的に保証するものではない、という点である。「ボーナス」という語感は、人口構成がちょうど適切な形になりさえすれば、あたかも天から追い風が吹いてきて成長を後押ししてくれるようなイメージを与えるが、そういうことではない。馬力の大きなエンジンは、それを適切に使いこなす使い手や作動環境が整ってこそ威力を発揮するのであって、そうでなければ無用の長物、それどころか過重な積荷と化してしまう。

つまり、人口ボーナスが成長促進効果をあらわすには、条件があるということだ。その条件とは、まず、そもそも人口ボーナスを発生させる前提である出生率の低下を継続させることである。そして、その結果として全体に占める比率が上がってきた生産年齢人口に対して就業の機会を与えることである。この二つを実現するための政策や制度構築が、政府には求められることになる。具体的な政策については後で触れよう。

人口ボーナスの期間は経済成長のチャンスだが、それは適切な政策や制度があってこそ活かすことができる。もしこの期間に人口ボーナスをうまく活かせなければ、その後に改めてキャッチアップしようとするのは難しくなる。これが人口ボーナスの第二の含意である。

2　多層・多極型の国内市場

世界市場の新たな牽引役

新興国の中間層が注目されている。先進国が失速するなかで、世界消費市場の新たな牽引役として期待を集めている。

アジア開発銀行（ADB）は、『台頭するアジア中間層（*The Rise of Asia's Middle Class*）』と題した二〇一〇年の年次報告書のなかで、アジア二二ヵ国の中間層人口を約一九億人、その購買力を年間三兆ドル（二〇〇八年）と報告している。経済産業省の『通商白書』（二〇〇九年版、二〇一〇年版）もアジアの中間層に注目し、アジア一一ヵ国・地域の中間層は八・八億人（二〇〇八年）から二〇億人（二〇二〇年）に拡大するとして、アジア市場の活力を取り込むことが日本にとっての課題、という議論を展開している。

消費市場の購買力を把握するには、各国の支出階層別の人口分布を知る必要がある。図2－4にインドネシアといくつかの新興国を比較した。この図では、中間層を年間世帯支出三〇〇〇～三万五〇〇〇ドル（一世帯を四人と仮定、ドルは二〇〇五年購買力平価）として、それをさらに高・中・低の三層に分けてある。『通商白書』はこの図でいう中間層の高・中、

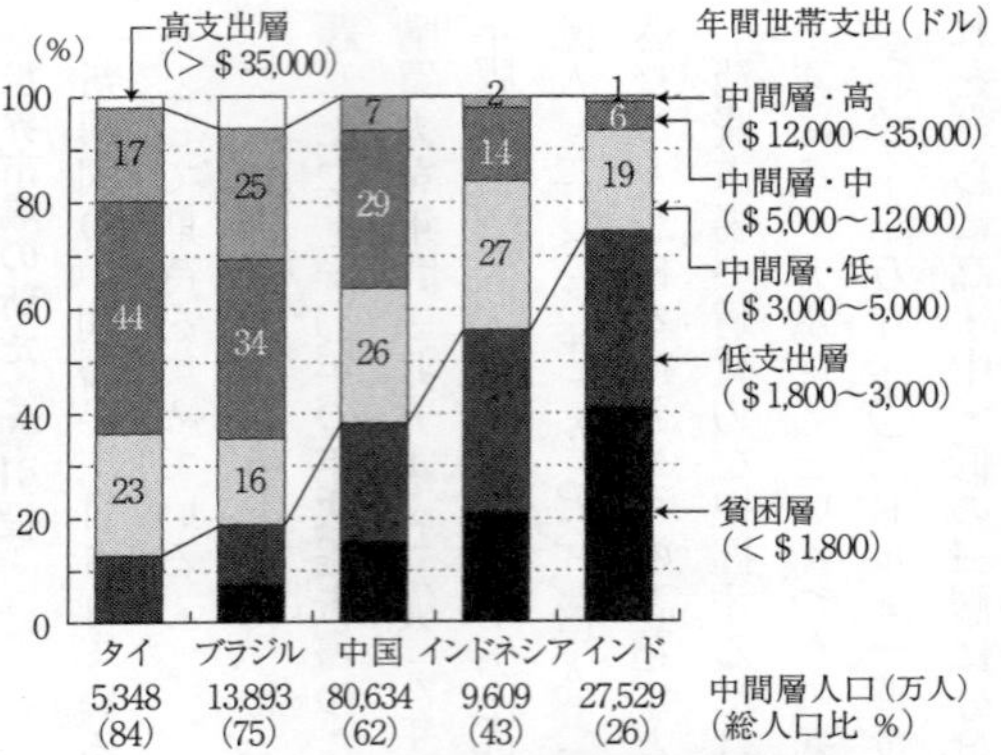

図２－４　インドネシア・新興国の支出階層別にみた人口分布（2005年）

（出所）世界銀行 PovcalNet データベースより作成

ＡＤＢ報告書は主に中・低に相当する層をそれぞれ「中間層」と定義しているので、この図はその両方を含んだ広い定義を用いている。

図にみるとおり、タイではこの広義の中間層が八四％を占める。ブラジルは相対的に高支出層の比重が大きい。それに対して、中国、インドネシア、インドは、低支出層と最低限の生活水準を満たせない貧困線以下の貧困層（世界銀行は一日一人当たり一・二五ドル以下の支出と定義している）の割合がまだ大きい社会である。とくにインドネシアとインドは二〇〇五年時点で低支出・貧困層が過半を占める。

低支出・貧困層は、近年ＢＯＰ（Base of the Piramid）ビジネスの対象として見直されている。この層が貧困ゆえに被っている不利益（貧困ペナルティー）を軽減するところにビジネスの芽を見いだす、という新しいビジネスモデルである。インドネシアとインドではＢＯＰビジネスの可能性も大きい。

インドネシアの中間層をタイと比べると、階層分布の形は大きく違うが、総人口が大きいために中間層人口がタイの一・八倍ある。今後インドネシアの中間層の割合が上がるにつれて、さらにその差が開く。中間層の本格的な台頭はこれからだが、人口規模ゆえにすでに一定の購買力をもつようになっている点でも、インドネシアはインドと似ている。

人口の過半を超えた中間層

図2－4で用いた世界銀行のデータベースPovcalNetは国際比較が簡単にできるように整備されているが、現在のところ二〇〇五年までしかデータがない。そこで、インドネシアの中間層の現状を知るために、別の推計を二つ紹介しよう。

『通商白書』が依拠しているイギリスの消費財市場調査会社ユーロモニター・インターナショナルは、国際機関の統計をもとに独自の計量モデルを使って所得分布を推計している。その二〇一〇年版データによると、『通商白書』の定義による年間世帯可処分所得五〇〇〇～三万五〇〇〇ドル（名目ドル）の「中間層」は、インドネシアで二〇一〇年に総人口の四八％（一億一四一六万人）であり、二〇二〇年には七七％（二億一七七万人）に拡大すると予測されている。

他方、ADBと世界銀行は、インドネシア中央統計庁の家計支出統計「国民社会経済サー

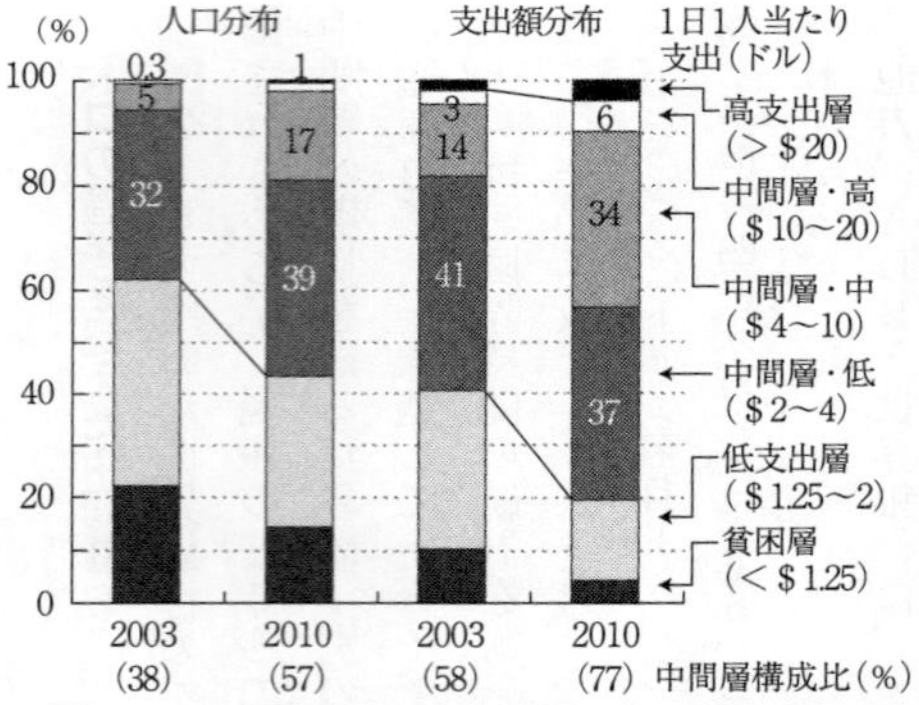

図２－５　インドネシア中間層の人口と支出額の変化

（出所）World Bank, *Indonesia Economic Quarterly*, 2011.3, 39－40頁

ベイ（SUSENAS）」を用い、これを二〇〇五年基準購買力平価ドルに換算して、一日一人当たり支出二～二〇ドル（年間世帯支出二八八〇～二万八八〇〇ドル）と定義する「中間層」の分布を推計している。

世界銀行の推計によると、「中間層」の総人口比は二〇〇三年の三八％から二〇一〇年に五七％（一億三四二二万人）に上がった（図2－5）。この中間層の支出額は二〇一〇年の支出総額の七七％を占める。とくに中間層の中層（一日一人当たり支出四～一〇ドル）の支出額シェアの拡大が目立っている。

ただし、この図で『通商白書』の「中間層」に相当する中間層の中・高層をとり出すと、その総人口比は二〇一〇年に一八％（四二七六万人）でしかない。先述のADB報告書は、二〇二〇年のこの層の総人口比を三四％と予測している。これはいずれも、ユーロモニターの推計である四八％、七七％に比べると、その四割程度にすぎない。

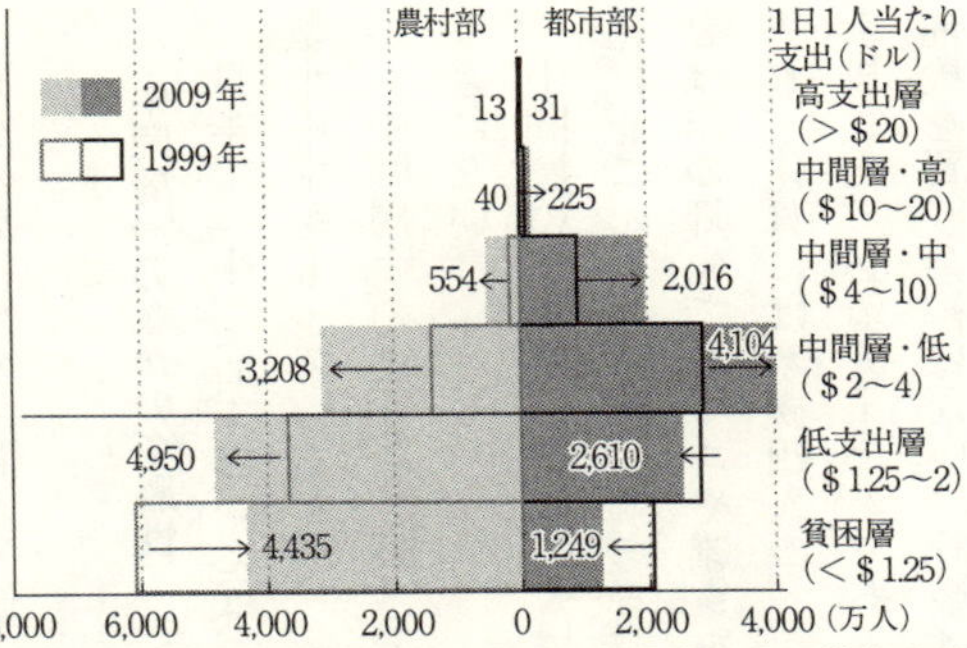

図２－６　支出層別にみた農村・都市部の人口分布の変化

（出所）ADB, *Key Indicators 2010 : The Rise of Asia's Middle Class,* 11−12頁、およびインドネシア中央統計庁の人口統計より作成

つまり、現状把握も将来予測も、二種類の推計結果はかなり乖離《かいり》している。ユーロモニターは中間層の中・高層を大きく評価する傾向があるようだ。それに対して、ADBや世界銀行が推計の元にしているSUSENASは、月一人当たり一〇〇万ルピア以上の支出層を一括りにしていて、中間層の中・高層以上の実態把握に重きが置かれていない。中間層を精確に把握するのは、なかなか難しい。けれども、各種推計から確認できることは、インドネシアの中間層は二〇〇〇年代後半に順調に拡大し、二〇一〇年には総人口の半数を超えたとみられることである。

都市部と農村部に分けて支出層別人口の変化を描いたのが図２−６である。一九九九〜二〇〇九年の一〇年間に貧困層が縮小し、都市部の中間層・低中層、農村部の中間層・低層が増え、全体的に底上げが起きた。今後成長が続けば支出層の上方シフトが加速し、都市部の中間層・

中高層と農村部の中間層・低中層の人口が拡大すると予想される。

「中間層」のなかの多層性

日本で「中間層」といえば、たとえば日常生活に一通りの家電製品が揃《そろ》っているとか、小型乗用車をもっているとか、一定のイメージが浮かぶことだろう。ところが、インドネシアの「中間層」のように上限と下限に一〇倍もの開きがあると、とても一つのイメージでは括りきれない。

中間層の下限は、家族四人でひと月の支出が約一五〇万ルピア（約一万五〇〇〇円）。たとえば、こんな生活風景である。三〇代で二児の父アムリは工場で月一万数千円の賃金で働き、妻は家の軒先でタバコや雑貨を売って家計の足しにしている。月賦払いで中古バイクを手に入れ、休日には家族四人のドライブを楽しんでいたが、長男が小学校に上がる時の物入りで手放した。必須アイテムであるテレビと夫婦の携帯電話は新品を安く買ったが、冷蔵庫や洗濯機を買う余裕はない。貯金はしたためしがないので、急な出費はだいたい家主や友人からの借金でしのぐ。

他方、中間層の上限は立派なエリートである。月世帯支出が一五万円ならば、世帯所得が二〇万〜三〇万円ということもあり得る。これはもう日本の中間層と変わらない。たとえば、外資系か、金融関係か、石油関係などの一流企業マネージャー、あるいは商売繁盛の自営業者などであって、普通の共働きや公務員にはとても手が届かないレベルである。「中間層」といえども実に多層である。

その上の高所得層は、人口比にして一％にも満たないが、購買力からみた存在感は大きい。二〇〇八年のリーマン・ショック後の時期に、一戸二三億〜四三億ルピア（約二三〇〇万〜四三〇〇万円）の価格帯で最高級マンション五〇〇戸がジャカルタで売り出され、すぐに完売となって話題を呼んだ。

その高所得層がまた多層である。インドネシアには所得統計がなく、SUSENASでももちろん、高所得層の実態はわからない。そこで手がかりになるのが個人所得税の納税額である。もちろん、インドネシアの徴税捕捉率は低く、個人所得税の納税者自体がわずか八五万人しかいない（二〇〇八年）。だが、納税額から逆算したこれら納税者の推定年間所得は三億〜一六七億ルピア（約三〇〇万〜一億六七〇〇万円）で、高所得層のなかで五五倍もの開きがある。税務署によると、最上層の一二〇〇人は一〇〇〇億ルピア（約一〇億円）以上の資産を所有しているという。

世界屈指の人口集積

次に、インドネシア市場の空間的な広がりに目を向けてみよう。

成田空港から直行便で七時間。インドネシアの首都ジャカルタは、林立する高層ビルと、昔ながらの赤屋根瓦の民家やパサール（市場）が同居する、喧騒《けんそう》の大都会である。

ジャカルタは北側がジャワ海に面している。一九八〇年代から南、東、西の三方に住宅地や工場用地が拡大し始め、隣接する二州の四市三県を飲み込んで首都圏が形成されるようになった。その名をジャボデタベク（Jabodetabek）という。ジャカルタ特別州の「Ja」、南に下って西ジャワ州のボゴール市・県の「bo」とデポック市の「de」、西隣りのバンテン州タンゲラン市・県の「ta」、そして東方の西ジャワ州ブカシ市・県の「bek」をつなぎ合わせた合成語である。

ジャボデタベク首都圏には、都心から三方にそれぞれ約六〇キロメートル、約六三〇〇平方キロメートルの面積に二六六四万人の人口が集積する（二〇一〇年人口センサス）。隣国マレーシアの総人口二八三一万人にも匹敵する規模である。

そのうち、ジャカルタ州の人口は九五九万人。ジャカルタと外延部ボデタベクの人口比は一九九〇年代半ばには半々だったが、現在では約三分の二が外延部に住む。そのかなりの部分が都心に通勤してくる。路線バスを乗り継いで二時間かけて通勤するOLたちも珍しくない。

ジャボデタベクの人口集積は、アジアのみならず世界的にみても屈指の規模である。世界の大都市ランキングは都市の定義によっていろいろあるが、大都市圏としてみれば、世界最大の日本の一都三県（神奈川・埼玉・千葉）の三五〇八万人（二〇〇九年総務省統計局人口推計）に次ぐ第二位の規模である。

ジャカルタの一人当たり名目GDPは七九〇〇ドル（二〇〇九年）。全国三三州平均の四・一倍と抜きんでて高い。ジャボデタベクは三八五〇ドルで、全国の二・〇倍の水準になる。ジャカルタはマレーシアより少し高く、ジャボデタベク首都圏はタイとほぼ同じ経済水準である。

多極的なインドネシア市場

首都圏は屈指の人口集積と別格の経済水準を誇るにもかかわらず、インドネシア全体でみると決して一極集中にはなっていない。

たとえば、日本の首都圏である一都三県には総人口の二七・五％、名目GDPの三一・七％が集中している（二〇〇九年）。一極集中型として知られるタイの場合は、バンコク首都圏に総人口の一八・五％、名目GDPの実に四二・〇％が集中している（二〇一〇年、タイ国家統計局、国家経済社会開発庁)。これに対して、ジャボデタベク首都圏への人口集中度は一一・二%と低く、名目GDPに占める比重も二二・九%にすぎない。首都圏以外にも、人口と経済活動が多極化しているのがインドネシアの特徴なのだ。

インドネシアには現在、ジャボデタベク首都圏のほかに人口一〇〇万を超える地方都市が六つある(図2―7)。ジャワ島には、西ジャワ州都の学園都市バンドゥン。高速道路が開通して、ジャカルタから二時間足らずで行けるようになった。それから、ジャカルタと同じくジャワ海に臨む中ジャワ州都スマランと東ジャワ州都スラバヤ。ジャカルタからスマランまで四二三キロ、スラバヤまでは六七四キロなので、東京―名古屋―大阪より少しずつ遠いくらいの距離である。

ジャワ島は面積では全国の六・八%にすぎないが、総人口の五七%にあたる一億三六五六万人(二〇一〇年)が住むので、大都市が複数あるのも不思議ではない。日本の本州の半分強の面積に、日本の総人口を超える人口が密集しているイメージである。都市部はもちろん、農村部も含めて、島全体が人口稠密《ちゅうみつ》な市場を形成している。

スマトラ島には、北スマトラ州都メダンと南スマトラ州都パレンバンがある。メダンはオランダ植民地時代に拓《ひら》かれた農園業の拠点である。パレンバンは古代シュリヴィジャヤ(室利仏逝)王国の都として七世紀から栄えた古都で、現在は油田と天然ゴムの集積地として知

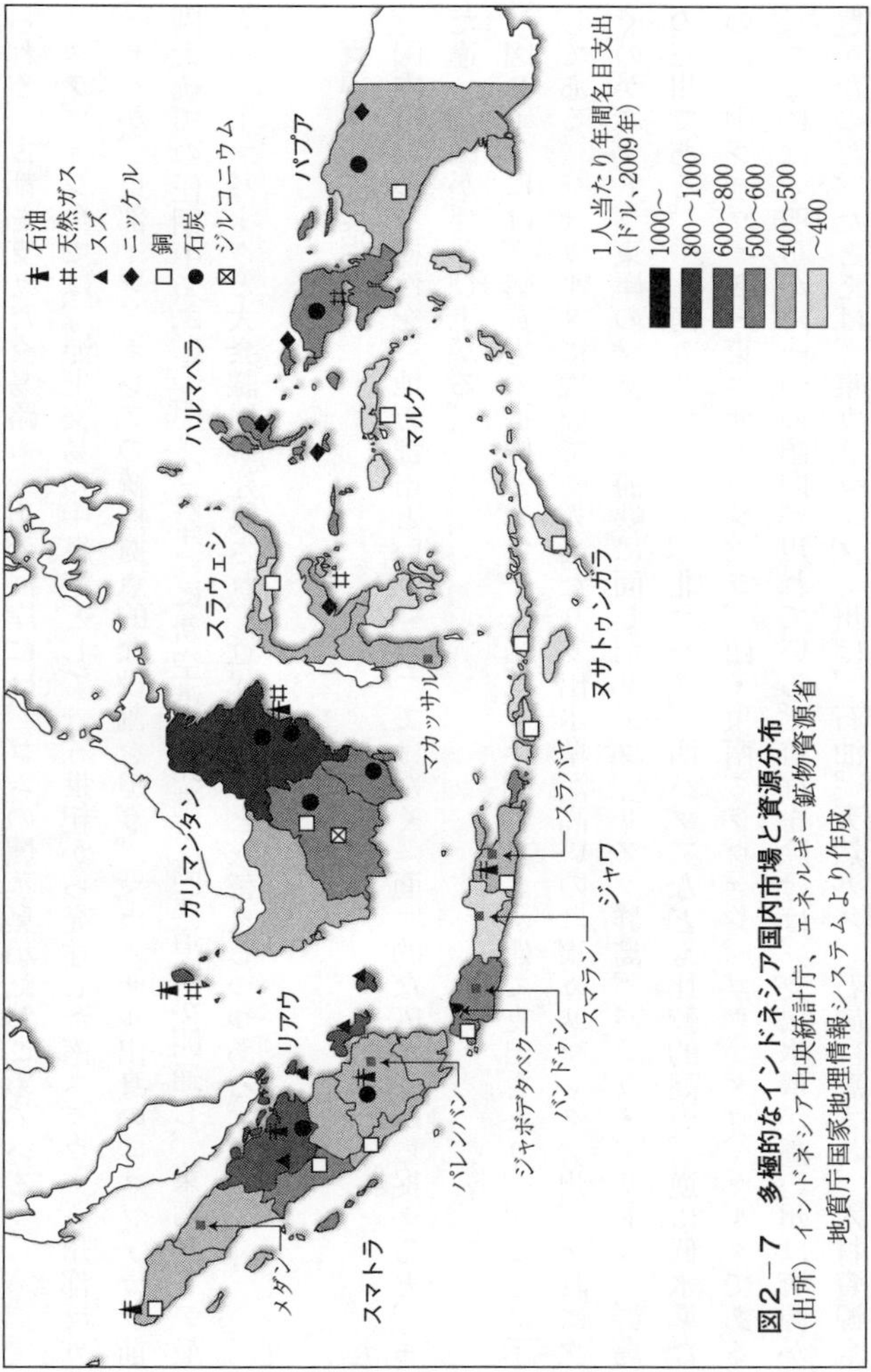

図2－7　多極的なインドネシア国内市場と資源分布
（出所）インドネシア中央統計庁、エネルギー鉱物資源省
地質庁国家地理情報システムより作成

られる。古都を支えた交易路ムシ川の河岸には、ゴムの燻蒸臭《くんじょうしゅう》がたちこめている。

スラウェシ島では、海上交易の中継港として一五世紀から発達した南スラウェシ州都マカッサルが、東部インドネシアの統括拠点的な役割を担う。マカッサル出身のユスフ・カラ前副大統領の任期中(二〇〇四〜〇九年)に新空港が開港、高速道路が開通し、東南アジア最大のテーマパークと大会議場が建設され、近代都市へと衣替えしつつある。

資源富裕州の活況

国内市場の多極性を、地方都市という「点」ではなく「面」的な広がりから捉《とら》えると、また違った図が浮かび上がる。

図2-7には、購買力の指標として一人当たり年間名目ドル建て支出をとり、州ごとに示してある。ジャカルタに次いで一人当たり支出水準が高いのは東カリマンタン州、それに次ぐのがスマトラ東岸のマラッカ海峡に面したリアウ、リアウ群島、バンカ・ブリトゥン群島の三州である。中・南カリマンタン、北マルク、西パプアなども比較的高い。逆に低水準なのは、中ジャワ、西・東ヌサトゥンガラ、西・東南スラウェシ、ゴロンタロ、マルクである。

ここには、明らかに一つの傾向が現れている。首都を除けば、支出水準が高い州は資源が豊かなのだ。たとえば、東カリマンタン州は、石油、天然ガス、石炭に恵まれ、木材資源も有する。支出水準ではジャカルタに次ぐ二位だが、一人当たり生産額（名目ＧＤＰ）では全国トップである。

なかでも、資源鉱区が立地する同州クタイ・カルタヌガラ県は全国一の金持ち県。一九九九年にクタイ県から分離した新設県である。潤沢《じゅんたく》な県の財政資金で県庁舎や大モスク、大河マハカム川にかかる大橋や道路、プラネタリウムから遊園地にいたる文化遊興施設を建設したばかりでなく、小学校から高校までの学費を全面的に無料にした。

資源の豊かさが財政の豊かさに結びつく仕組みができたのは、一〇年前のことである。スハルト政権時代には逆に、資源の多寡《たか》によって開発に差がつかないように全国平準化のための制度設計がなされていた。資源収入は中央政府に吸い上げられ、人口比に合わせて全国に分配された。だが、資源富裕地方は「我々は中央に収奪されるばかりだ」という不満を鬱積《うっせき》させていった。

スハルト政権崩壊後、地方分権化へと時代は変わった。鉱業、林業、水産業などの資源収入はその八〇％を地元に還元するという方針が、一九九九年中央・地方財政均等法で定められ、二〇〇一年一月から施行された。中央政府にとって重要な財源である原油と天然ガスについては地元への還元比率がそれぞれ一五％と三〇％に抑えられたが、それでも地方の政府と社会にとってインパクトは絶大である。

地方分権化は、こうして、インドネシア市場の多極化を進める方向に作用している。資源収入が地元に還元される仕組みは、資源に恵まれた地方と相対的に資源の乏しい地方との格差を広げていないだろうか。

格差は広がっているか

社会における所得分布の不平等度を表す代表的な指標にジニ係数がある。ジニ係数は、完全平等社会ならゼロ、一人だけの大富豪と残り全員の大貧民からなる完全格差社会ならば一をとり、〇～一の間の数値で表される。

一国の経済水準と格差との関係については、「クズネッツの逆U字仮説」が有名である。経済が発展するにつれて不平等度の高い近代的部門の比重が高まって、ある段階までは格差が拡大するが、やがて生産要素が部門間を移動して格差は縮小に転じる、という仮説である。縦軸にジニ係数、横軸に一人当たりGDPをとると、ジニ係数は逆U字カーブを描く。

ところが、インドネシアの過去約四〇年間のジニ係数はジグザグの軌跡を描いていて逆U字カーブにはなっていない。つまり、経済水準の上昇にともなってクズネッツ仮説が想定するような格差の拡大から縮小へという変化が起きていたとはいえない。

逆に、スハルト体制期には強制的な開発資金の再分配機能によって格差が縮小し、民主主義体制期には格差が拡大している、という「U字カーブ」のストーリーもまた、やや単純にすぎるようだ。たしかに一九七八～九〇年にかけては、世界銀行『東アジアの奇跡』が評価したように経済成長と格差縮小がおおむね並行して進んだが、一九九〇年代には同じスハルト体制下でもジニ係数は上昇した。また、民主化と地方分権化が始まった一九九九～二〇〇七年にジニ係数は上昇傾向にあったが、二〇〇七年以降は同じ体制下でも格差は縮小に転じている。

格差の源泉を調べた最近の研究成果を一つ紹介しよう。スマトラ、カリマンタン、ジャワといった島の間の格差、三三州の間の格差、島や州内の都市部・農村部の間の格差、という三種類の格差を想定し、それぞれが全国的格差をどのくらい説明するかを分析した高橋和志の研究は、都市・農村間、州間、島間の順に説明力が大きい、という結果を得た（Higashikata, Michida and Takahashi, 2008）。

先に私自身も述べたように、資源収入で活気づいた島、資源や人材に乏しい州、などと島や州の単位で格差問題は捉えられがちだが、実はそれぞれの島や州の内部にある都市と農村の格差こそがより重要な格差の源泉だ、というのがこの研究の発見である。

首都圏だけでなく各地に多極的に点在する都市では、中間層や高所得層が消費需要を牽引する。その一方で、都市の回りに広がる農村部にはまだ多くの低所得層や貧困層が滞留する。

前掲図2－6の左下にいる総人口の四割を占める農村低支出・貧困層が、社会経済発展のダイナミズムのなかで彼らなりの購買力をもち始めることが格差解消のカギになるだろう。

3　労働市場と人材

ベトナムかインドネシアか

消費市場としての人口から、労働力としての人口に話を移そう。人口の規模が大きく、人口ボーナスが相対的に長く続くインドネシアは、低コストで豊富な労働力を提供できる点で有利なはずである。この点を、アジア各国に進出した日系企業が実際に支払っている賃金水準で確認してみよう。図2－8に、インドネシアを含む六ヵ国の賃金水準を、基準となる製造業作業員の賃金が高い順に左から並べた。

マレーシアは対象六ヵ国のなかで人口が最も少なく一人当たり経済水準が最も高いので賃金水準が高いのは当然だが、そのマレーシアの四〇～五〇倍もの総人口を擁する中国とインドでも製造業作業員の賃金水準はあまり変わらない。インドはタイと似通った賃金水準で、とくにマネージャークラスの賃金の高さが目立つ。

製造業作業員の賃金水準が月二〇〇ドルを切るのはインドネシアとベトナムである。ジャカルタの最低賃金は二〇一一年に月一五〇ドル（約一万二〇〇〇円）で、ハノイ市・ホーチミン市の最低賃金七五ドル（約六〇〇〇円）の二倍である。日系企業が製造業作業員に支払っている平均月給の差は約一・七倍で、最低賃金の差がほぼ反映されている。ところが、マネージャーでは賃金の差がかなり縮まり、非製造業スタッフになるとベトナムの方が高くなっている。

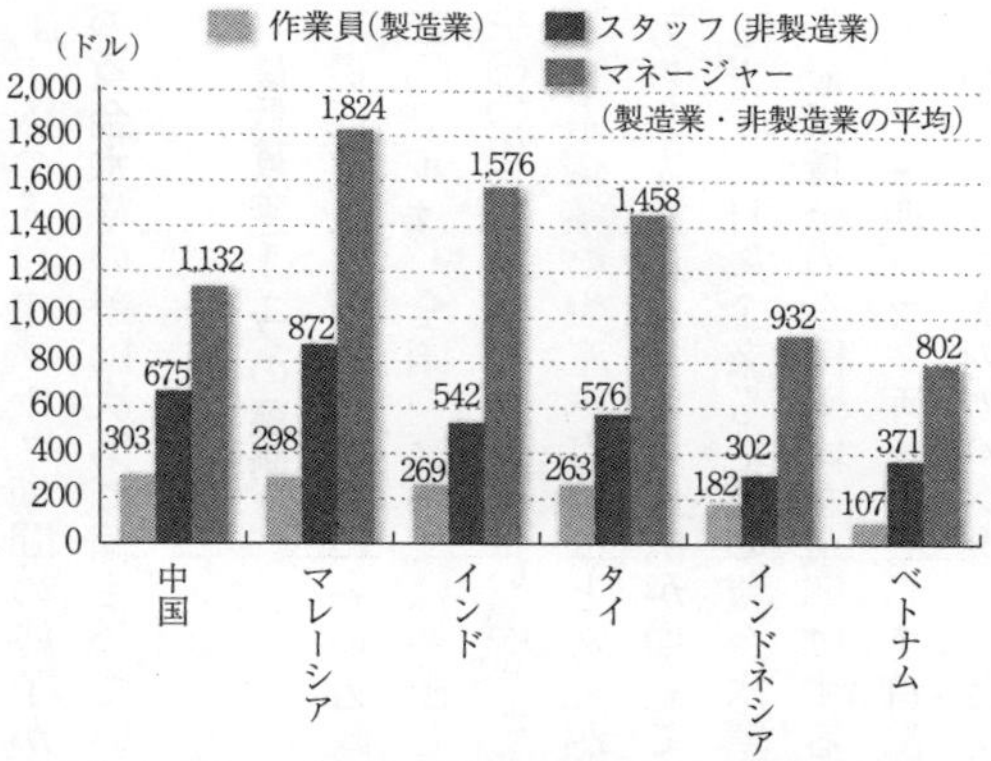

図2－8　アジア各国における日系企業の賃金水準（月額基本給、2010年8月時点）

（出所）JETRO「アジア・オセアニア日系企業活動実態調査」2010年より作成

靴や縫製品、ゴム製品など労働集約財の海外生産が多い韓国系企業は、日系企業よりも人件費に敏感だといわれる。韓国系企業のみる有望投資先は、二〇〇八年を境にベトナムからインドネシアへと流れが変わったという（KOTRA〈大韓貿易投資振興公社〉ジャカルタ事務所）。その理由の一つが労働力なのだそうだ。彼らが妥当と考える賃金水準で人材を確保するのがベトナムでは難しくなり始めたという。二〇二〇年あたりと予測されるべトナムの人口ボーナス期間の終了が迫るにつれて、企業が直面するベトナムとインドネシアの賃金水準の差は次第に縮まっていくと予想される。

最低賃金マップの裏側

最低賃金は、毎年初めに各地方政府が決めている。先に述べたジャカルタの最低賃金月一五〇ドルは、全国のなかでは突出して高い。全国で最も低い中ジャワ州は月七九ドル（約六三〇〇円）なので、二倍近い開きがある。

日系企業の生産拠点はほとんどが首都圏に集中しているが、国内市場向けビジネスでは地方の販売拠点を強化する例が増えている。BOPビジネスで先行する欧米系多国籍企業はもとより、日系企業も地方の賃金水準に無縁ではなくなってきている。

最低賃金の全国平均を基準にすると、それより二〜五割高いのが西端のアチェ州、東端のパプア・西パプア両州、そして首都ジャカルタの三ヵ所である。逆に平均より二〜三割低いのが、ジャワ島内のバンテン、西ジャワ、中ジャワ、そしてジョグジャカルタの各州である。

ジャワ西部のバンテンと西ジャワの最低賃金が低い裏には、全国最高レベルの失業率の高さがある。この二州は、格差を表すジニ係数も高く、不平等度が大きい。ジャワ中東部の方は、失業率は平均より低いが、今度は貧困人口比率が平均より高い。

大人口が集約的に住むジャワ島は、間違いなく低賃金労働力の供給源である。だがそれは、失業や貧困と背中合わせなのだ。水田耕作地の多い中東部は、余剰労働力を貧困層として農村内部に抱え込んでいる。乾燥地の多い西部では、余剰労働力が求職中の失業者として顕在化してくるというわけだ。

では逆に、最低賃金が極端に高い東端と西端は余剰労働力が払底して失業や貧困と無縁かというと、これまた違う。実は、貧困人口比率が全国で最も高いのがパプアと西パプアの三七％、三五％なのである。アチェの貧困人口比率も二一％なのでかなり高いし、失業率も平均を上回っている。

そこではジャワとは違って、高賃金と失業・貧困が同居している。これはインドやアフリカで起きている現象と似ているかもしれない。つまり、地元に余剰人口はあっても求められる労働力になり得ていないのだ。需要にマッチした労働力が少ないので、数少ない地元エリートか、ジャワなどから派遣されてきた人材が高給で雇われる。アチェでは、長きにわたった分離独立闘争（第3章参照）のもとで安定した教育・労働環境が得にくかったことも、労働力の質の面で影を落としている。

完全失業率は、第1章でも触れたとおり、アジア通貨危機から一〇年間は上がり続け、二〇〇五〜〇六年をピークに低下し始めたものの、まだ危機前の四％台には戻っていない。不完全就業比率――労働時間が週に三五時間未満、つまり週に五日働くとして一日七時間未満しか働いていない不完全就業（underemployment）者が労働力人口に占める比率――も三三％あたりで停滞している。それでも貧困人口比率は、危機後にゆっくりと下がり始め、一〇年ぶりに六％成長を回復した二〇〇七～〇八年にようやく危機前よりも低い水準に戻った。

失業者が八九六万人、労働力人口の三分の一を占める不完全就業者が三三九七万人（二〇〇九年）、合わせて四三〇〇万人近い人口が労働市場の底辺に存在する。一日七時間の労働需要でもってこの人口を吸引することが、間接的に、貧困人口三一〇二万人（中央統計庁、二〇一〇年）を貧困線より上に引っ張り上げることにつながる。

量産される高卒人口

労働力の需給マッチングは単に数だけの問題ではない。労働力の質、とりわけ教育水準が重要な意味をもっている。

インドネシアにおける教育の大衆的普及は、アジアの教育先進国フィリピン、社会主義体制下のベトナム、中国、ソ連、経済水準がすでに高かった中南米のブラジル、メキシコに比べて遅かった。小学校六年間の義務教育は、制度的には独立後からあったものの、「一つの村に一つの小学校」政策で小学校の数が急増するのはスハルト政権下の一九七三年からである。その効果があって、初等教育の就学率は一九八〇年には一〇〇%に達した（表2－1）。一〇〇%を超える数値は、教育制度上の相当年齢以外の就学者がいることを示す。

中等教育（中学校・高校）の就学率は、一九九四年に義務教育が中学までの九年間に延長されてから上がり始めた。二〇〇〇年代には五六%から七四%に上がり、現在では他国と比べて遜色《そんしょく》ない水準になっている。一九八五年以降に生まれた二〇一〇年現在二五歳以下の年

（単位：%）

国名	レベル	1970-72	1990	2008
インドネシア	初等	71	119	119
	中等	12	48	74
	高等	2	9	21
マレーシア	初等	89	92	97
	中等	34	56	68
	高等	2	7	32
タイ	初等	80	100	93
	中等	12	29	74
	高等	2	16	45
フィリピン	初等	109	109	110
	中等	39	71	82
	高等	19	24	29
ベトナム	初等	82	103	72
	中等	22	35	80
	高等	2	3	25
中国	初等	98	129	113
	中等	50	38	76
	高等	…	3	23
インド	初等	79	93	117
	中等	28	41	60
	高等	4	6	13
ソ連／ロシア	初等	104	107	97
	中等	66	95	85
	高等	26	54	77
ブラジル	初等	130	141	127
	中等	27	…	101
	高等	5	…	34
メキシコ	初等	104	114	114
	中等	23	55	90
	高等	6	15	27

表2－1　アジア諸国・新興国の就学率

（出所）UNESCO, *Statistical Yearbook 1972*, *World Development Indicators*, ADB, *Key Indicators* より作成

最終学歴	経済活動人口の学歴別構成（%）	労働力率（%）	完全失業率（%）
小卒以下	52	65	4.6
中卒	19	52	9.4
高卒（普通・専門）	22	60	15.3
短大・専門学校卒	3	74	11.2
大卒以上	4	77	12.6
全体	100	62	8.4
（万人）	11,195	10,256	939

表2－2　学歴別にみたインドネシアの労働力構成と失業率（2008年）

（注）経済活動人口＝労働力人口＋失業人口。労働力率＝労働力人口／当該最終学歴の生産年齢人口。完全失業率＝失業人口（求職者を含む）／経済活動人口

（出所）インドネシア中央統計庁

齢層では、高卒は当たり前になった。

だが、高等教育（短大、専門学校、大学）の就学率はまだ二一％と低い。インドよりは高いものの、もともと高いタイ、フィリピンはもとより、マレーシア、ベトナム、中国にも追い越された。短大・専門学校卒を含めても、高等教育修了者が経済活動人口に占める割合は七％（約七八〇万人、二〇〇八年）にすぎない（表2－2）。

大学四年を修了した「学士（サルジャナ）」は、いまだに希少な存在である。彼らは「Drs.（ドクトランデス、学士）」「Dra.（ドクトランダ、女性の学士）」「Ir.（インシニュール、理学・工学士）」「SH（サルジャナ・フクム、法学士）」などの学士号を名前の前後に付ける。格式高いオランダ教育制度の伝統を受け継いだ、いわば「エリートの称号」といっていい。

最終学歴が雇用にどう影響しているかを表2－2でみると、農業部門に多い小卒を別とす

れば、やはり学歴が高いほど労働力として活用されている割合（労働力率）が高いことがわかる。

だが、失業率もまた、高卒以上で高くなっている。中等教育の普及にともなって、六％成長に届かなかった一〇年間（一九九七〜二〇〇六年）にも高卒者は毎年続々と労働市場に送り出されてきた。その結果、高卒を最終学歴とする経済活動人口は約一五〇〇万人（一九九六年）から約二五〇〇万人（二〇〇八年）へと、どの学歴層よりも大きく増えた。一〇年にもわたってじりじりと上がり続けた失業率のひずみが、三八〇万人の高卒失業者となって表れているのである。

それを裏返せば、失業率が下がり始めた現在、労働市場にプールされたこの大量の若年高卒者こそがこれからインドネシアの強みとして効いてくる。企業の視点に立てば、製造業作業員や非製造業スタッフに相当する人材が買い手市場であることを意味する。企業が妥当と考える賃金水準でより良い人材を選ぶことができ、しかも定着率が高いという状況が当分の間は期待できる。

インドネシアでの現地生産の経験が長い日系企業の間では、製造業作業員の質に対する評価は総じて高い。手先の器用さ、眼のよさ、その結果としての作業効率の高さ、そして忍耐強さなどが高評価のポイントとして挙げられる。タイやベトナムの同種の作業員の質と比較しても遜色なく、むしろ作業効率が高いという声も聞かれる。

人口パワーを活かすためには

インドネシアの大規模で若い人口は、消費者としても労働力としても、人口ボーナスの後半期にあたるこれからがいよいよ本領を発揮すべき時機である。だが、人口の大きさと若さは、適切な政策や制度がともなわなければ、成長の足を引っぱる重荷にも転化し得ることはすでに述べたとおりである。

では、適切な政策や制度とは何だろうか。先に紹介した人口ボーナスの考え方では、出生率を継続して低下させること、比率の高まる生産年齢人口に就業の機会を与えることが、人口ボーナスの成長促進効果を引き出すために政府が果たすべき重要な役割であった。この課題に、インドネシア政府はどう対処しているだろうか。

第一の出生率の低下政策については、先述のように、政府は二〇〇九年以降、政府と国民の義務と責任において家族計画を行うための法制度を整備し始めている。

第二の課題は、生産年齢人口をいかに労働力として市場に送り出し適正に就業させるかという供給面の政策と、産業部門が労働力をいかに吸収するかという需要面の政策に大きく分けられる。

労働供給面の政策には、教育や技能習得の機会の拡大、労働市場における需給ミスマッチの改善、労働市場の柔軟化などがある。インドネシア政府が現在、とくに重要な課題に掲げているのは、労働法制の規制緩和による労働市場の柔軟化、そして教育の改善である。

二〇〇三年に制定された労働法は、前メガワティ政権下で全国労働組合総連合の会長が労働力大臣になった時に起草された基本法で、労働者の権利を認めた民主化時代の息吹を象徴する法律である。だが、労働者保護を重視するあまり、勤続年数に応じた退職金計算の月数、長期休暇の日数など、通常は労働協約で決められるような詳細な規定を含んでいたり、懲戒にもとづく解雇者への退職金支払いを義務づけるという問題含みの規定もあったりする。

ユドヨノ政権は、採用や解雇などを基本法で厳格に縛りすぎると労働市場を硬直化させ、かえって雇用を縮小させる恐れがあるとの立場から、労働法の改正を二〇〇六年に試みた。だが、いったん認めた労働者の権利を減じるような動きには、当然ながら労働組合側が拒否反応を示し、法改正の試みは失敗した。そこで政府は、これまで立ち後れていた社会保障制度の整備に着手し、これとセットにして労働法を規制緩和していく方針をとっている。

こうした流れのなかで、二〇一一年、全国民を対象にした健康保険、労災保険、年金保険を管理する社会保障管理庁法が成立し、二〇一四年からこれらの社会保険が導入されることになった。

教育については、インドネシアの一般庶民も政府も「教育の遅れは我が国の弱点だ。教育こそが明るく豊かな人生をもたらしてくれる」という意識が強い。だからこそ、二〇〇二年の第四次憲法改正で「国家財政と地方政府財政の少なくとも二〇％を教育予算にあてること」を憲法規定として盛り込んだ。

現在、政府が優先課題に掲げているのは、小・中学校の施設・実験設備の改善と教員の待遇改善、産業界のニーズに合った職業専門高校の強化、そして大学院博士課程の強化である。こうした取り組みの一方で、教育予算の流用、公立学校の教育費の上昇、地域や州による学力格差といった問題も指摘されている。

教育に代表されるように、労働供給面の政策は、短期的な効果がみえにくいものが多い。長期的な視野にたって地道な政策努力を積み重ねていく以外に道はないだろう。

これに対して、労働力をいかに吸収するかという需要面の問題は、まさしく政府の経済開発政策のあり方に大きく左右される。この点は、第4章で取り上げる。

そしてもう一つ、インドネシアの人口パワーが活きるには、持続的な成長を可能にする国家の安定が大前提になる。スハルト政権崩壊後の「混乱と停滞」はあくまでも異常な一時期だったのか。近い将来再び繰り返されることはないのか。その点を次章でみていこう。

第3章

民主主義体制の確立

2009年の大統領選挙キャンペーンで演説するスシロ・バンバン・ユドヨノ大統領

1　大転換

権威主義体制の崩壊

――幕府というのは、いざとなるとシツケ糸一筋を抜くことであっさり解体するようになっていたんだよ。（旧幕臣勝海舟《かつかいしゅう》の言葉。司馬遼太郎《しばりょうたろう》『この国のかたち　二』）

まさしく「シツケ糸一筋を抜く」がごとくに、スハルト体制はあっけなく解体した。全国津々浦々にいたるまで堅牢《けんろう》に築き上げられていたかにみえた権威主義体制は、その頂点にあったスハルトという重しがとれたとたん、瓦解《がかい》した。

一九九八年五月二一日午前九時、スハルト大統領は憔悴《しょうすい》した表情で辞任声明を読み上げた。続いてハビビ副大統領が宣誓を行い、自動的に第三代大統領に昇格した。

ハビビ大統領は、就任から二週間のうちに、政治犯を釈放し、政党と労働組合の設立を自由化し、すべての結社の自由を認め、出版規制と報道規制を撤廃して言論の自由を認めた。ハビビが在野の急進的改革勢力によって大統領の椅子から引きずり降ろされずにいるためには、「スハルトの側近」というレッテルを自分から否定してみせるしかなかった。それにはスハルト体制を全面的に否定して、自らが急進的改革者に変貌する以外に道はなかったのである。

　では、スハルト体制とはどういうものだったか。一九六六年三月、陸軍少将スハルトは治安維持という名目で初代大統領スカルノから実権を奪うと、直ちにインドネシア共産党を非合法化し、共産主義との訣別《けつべつ》を国内外に示した。中国やソ連寄りの立場を捨て、社会主義的統制経済を資本主義的自由経済へと一八〇度転換した。西側諸国から投資と援助を導入して破綻に瀕《ひん》した経済の立て直しを図った。そして「開発（プンバングナン）」を国家目標に掲げ、食糧増産、工業化、社会開発を推進した。その結果、年平均七・〇%の経済成長を三〇年余りにわたって実現したことは、第1章でみたとおりである。

　反面、スハルトは国民の自由と政治参加を厳しく制限した。「開発」の推進には「安定」が必要だ、というのがその理由である。すなわち、スハルト体制とは、「開発」という大義名分のもとに国民の自

辞任声明を読み上げるスハルト第2代大統領（左）。ハビビ副大統領（右）はこの直後に第3代大統領就任の宣誓を行った（提供◎AFP＝時事）

由を制限することを正当化した権威主義体制であった。国軍と官僚制のヒエラルキーを全国六万余の村々にまで浸透させ、国民を監視し、徹底的に社会を脱政治化した。この方針に楯《たて》突《つ》く抵抗勢力があれば、法により、政治力により、時には武力によって封じ込めた。

だが、ただひとつ、最高権力者スハルトをもってしてもコントロールできないものがあった。それは、通貨ルピアのレートである。もしくは、そのレートで示される「市場」の評価といってもいい。

一九九七年、アジア通貨危機がインドネシアに波及し、政府が為替変動幅の管理を手放さざるを得なくなると、ルピアはスハルトの健康不安や改革に逆行する政策に反応して下落を繰り返すようになる。ルピアの下落が政治体制を揺るがし、政治不安がさらなるルピア下落を呼ぶという悪循環にインドネシアは陥った。「開発」の成果は一気に色褪せ、スハルト体制への不満が民主化要求のマグマとなって噴き出した。学生、知識人、体制に虐げられてきた政治家、体制に批判的だった退役軍人、宗教指導者などの勢力が一つの「改革（レフォルマシ）」運動に融合していった。

それでもスハルトは、辞任の二日前まで、自身の監督の下で内閣を改造し、法を改め、総選挙を行うといった漸進的なソフトランディング・シナリオに自信をみせていた。だが、最後は閣僚や側近にも離反され、一転して即時辞任に追い込まれたのだった。

この瞬間、インドネシアはハードランディングした。堰《せき》を切った奔流のごとく、インドネシアはスハルト体制とは対極の方向に向かって全速力で走り出した。

だが、その急進的な自由化と民主化は、ほどなく新しい混乱を生みだした。そこで再び、改革の「行き過ぎ」を是正し、制度をもう一度作り直す作業が行われた。

この壮大な試行錯誤に要した時間は実に六年半。スハルト時代には口の端にのせることすらタブーであった憲法の改正が、四年連続で四回もなされた。大統領は三人、いずれも異常な形で入れ替わった。

そして二〇〇四年、インドネシアは一つの新しい制度的均衡点に到達した。建国史上初めての大統領直接選挙が平和裡《り》に行われたことが、その証《あかし》であった。

自由と人権の保障

「新しい制度的均衡点に達した」というのはどういうことか、少し具体的にみよう。

新しい制度体系では、国民の自由と人権が保障された。ハビビがまず着手したように、国民の自由を制限してきた規制を廃し、あるいは自由化する「改革」が迅速に進んだ。

たとえば、スハルト体制が発禁や報道統制の手段としてきた出版物発行許可制が廃止され、後に新しい報道法が成立して、言論・報道・出版の自由が保障された。労働者、青年、記者、農民など、それぞれ官製の全国組織が一つずつしか認められていなかった制度が解除され、結社の自由が認められた。ILO（国際労働機関）八七号条約が批准され、労働者の団結権が承認された。デモや集会は許可制から届け出制に変更され、意思表明の自由法が制定されて、集会・意思表明の自由が保障された。思想統制、とりわけ宗教団体に対する統制の手段となってきた「パンチャシラ唯一原則」制、つまり、建国五原則パンチャシラを唯一の組織原則とすることをすべての社会団体に義務づける制度が廃止され、思想・信条の自由が確保された。

以上のような自由権のほか、幅広い生存権を含む基本的人権は、一九九九年基本的人権法の制定によって保障され、さらに二〇〇〇年の第二次改正によって憲法に盛り込まれた。

国民の政治参加と自由な選挙も保障された。スハルト体制下では、政府と一体になったゴルカル（「職能団体」を意味するゴロンガン・カルヤの略称）という政治組織が与党の役割をはたしていた。ゴルカルには、中央官庁から全国の村長にいたるすべての公務員が加入を義務づけられていたが、この制度が廃止され、公務員には政党選択の自由が与えられた。ゴルカル以外に、政党は二つしか認められていなかったが、政党の設立も自由化された。

内務省の管理下で行われてきた総選挙は、中立的な総選挙委員会が管理することになり、政党や国内外のNGOによる選挙監視も認められた。こうして、政府による選挙干渉の余地はなくなった。

世界各国の政治的・市民的自由度を指標化しているフリーダム・ハウス『世界の自由　二〇一一年版』によれば、インドネシアはアジア地域では日本、韓国、台湾、モンゴルに次ぎ、インドと同スコアの自由度と評価されている。インドネシアはアジア有数の「自由な国」に生まれ変わったのである。

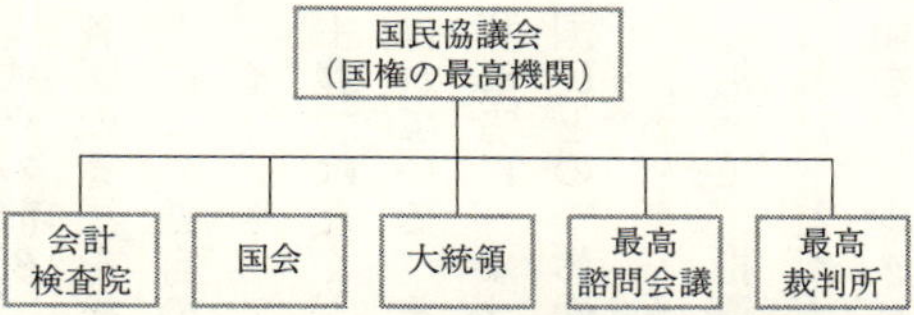

図3－1　体制転換前の国家統治機構：国民協議会制

（出所）アジア経済研究所『アジア動向年報』をもとに作成

国民協議会制から三権分立へ

民主化改革は、しかしながら、単なる規制の自由化、すなわち、スハルト体制からの解放だけでは話が済まないことの方がむしろ多かった。よい例が、国家統治機構の改革である。

インドネシアはもともと、国民協議会制をとっていた。これは、図3－1にみるように、国権の最高機関である国民協議会が大統領を含む国家機関の上位に位置する制度である。憲法第一条は「主権は国民に存し、国民協議会が全面的にこれを行使する」と謳《うた》っていた。つまり、国民協議会は国民に代わって主権を行使する機関であり、憲法の制定権、大統領の選出権をもっていた。

独立の前夜、一九四五年憲法の起草にあたった独立運動の指導者や法律学者たちは、世界各国の憲法を検討した末に、西欧型の三権分立を採用せず、ソ連や中国国民党の制度をヒントにこの独自の制度を設計した。その背景にある政治思想は、次のようなものであった。インドネシア国家の主宰者は国民である。国民は「私の権利は何か」と尋ねるような個人主義ではなく、「大家族の一員としての私の義務は何か」と問うような家族主義によって結ばれている。その大家族の長として国民と一体化し、叡智《えいち》をもって国民を導くことのできる指導者に、まずは国政をゆだねよう。そして五年に一度、国民協議会を開いてその指導者と国民との一体性を点検すればいい。

これは明らかに、西欧型の民主主義や個人主義とは異なる考え方である。こうした考え方に沿って、指導者たる大統領には憲法上大きな権力が与えられ、国民の人権は最低限に抑えられた。だが、大統領は国民協議会に責任を負っている。国民協議会は国民を代表して大統領をチェックし、いざとなれば首をすげ替える機能を備えていた。

ところがひとつ、重要な抜け道があった。憲法は国民協議会の議員をどのように選ぶのかを定めていなかったのである。「叡智ある家父長」となった「建国の父」スカルノも、「開発の父」スハルトも、この点をうまく利用した。端的にいえば、自分を選んでくれるイエスマンを国民協議会に送り込む仕組みを作ったわけである。結果として、国権の最高機関は大統領に支配され、チェック機能を失い、大統領への権力集中と政権長期化を許してしまった。スハルト辞任後、国政の担当者たちの間にはすでにあるコンセンサスが共有されていたといっていい。それは、大統領が国民協議会を操作できないようにすること、本来は大統領と同格にありながら承認印を押すだけの機関になり下がっていた国会を強化することである。第一次、第二次憲法改正を経て、国会は立法と予算審議だけでなく、行政府に対する監督という新しい機能を与えられた。そのツールとして、質問権、国政調査権、意見表明権を手に入れた。

一九九九年に民主化後初めての自由な総選挙が行われると、総選挙を勝ち抜いた政党勢力と国会議員は民主化時代の主役に躍り出た。彼らは嬉々として、新しい権限を活用し始めた。国会が国政調査権を行使して日がな閣僚を国会に拘束する、大統領を呼びつけて答弁させるという、スハルト時代には想像もできなかった風景が日常茶飯になった。大統領と国会との力関係は逆転した。

国会だけではない。国民協議会についても力関係の逆転が起きた。国民協議会は、国会議員、国会が選んだ組織代表、地方議会が選んだ各政党の地方代表からなることになった。大統領による任命や介入の余地を徹底的に排除した代わりに、今度は国会と政党勢力が国民協議会を牛耳ってしまったのである。国民協議会で初めて民主的に選出された第四代大統領ア

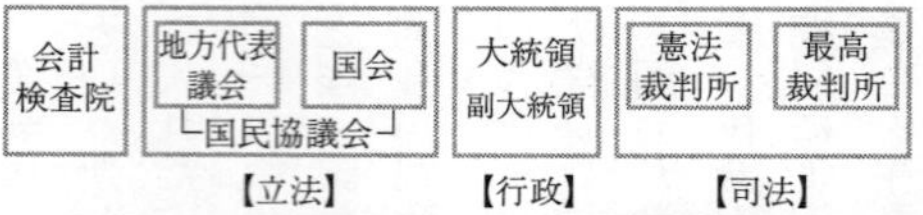

図3－2　体制転換後の国家統治機構：三権分立制
（出所）アジア経済研究所『アジア動向年報』をもとに作成

ブドゥルラフマン・ワヒドは国会・政党勢力と対立を繰り返し、あげくの果てに二〇〇一年、国民協議会によって罷免《ひめん》されてしまった。

大統領の罷免は、インドネシア政治史における汚点となった。罷免した側の議員たちにも苦い思いは共有された。権威主義体制を打倒し、理想に燃えて民主主義を目指したはずが、かえって政治危機を引き起こしてしまったのだから。この痛恨の念が、政治エリートたちに大きな決断をさせた。建国の指導者たちからの遺産である国権の最高機関としての国民協議会制を捨て去ることである。

第三次、第四次憲法改正によって、国民協議会は国民主権の代行機関ではなくなり、国会と地方代表議会との合同機関という立法府としての位置づけに「降格」された。憲法第一条は、「主権は国民に存し、憲法にしたがい行使される」と改められた。

同時に、司法府が強化された。憲法裁判所が新たに設けられ、法律の違憲審査のほかに、大統領の罷免に際して司法判断を下すことになった。

こうして、大統領、立法府、司法府の間のチェック・アンド・バランスが初めて創出され、インドネシアに三権分立が成立した（図3－2）。

間接管理選挙から直接自由選挙へ

大統領制でありながら議会の方が大統領より優位に立ち、大統領の罷免にまでいたったことへの反省は、もう一つの改革を生み出した。大統領の公選制である。大統領が国民に直接選ばれれば、大統領の正統性は高まり、議会に偏ったパワーバランスを回復させることができる。そこで、第三次、第四次憲法改正によって、正副大統領は国民による直接選挙で選出されることが定められた。

スハルト時代には、大統領は国民協議会で形式的な選挙によって選出された。つまり間接管理選挙だった。民主化後、それが国民協議会のなかでの自由な選挙、間接自由選挙に変わった。だが、いずれにせよ大統領は、国民協議会に責任を負っていた。それが、直接自由選挙に変更された。大統領は、選挙で提示した「政治公約」を履行するという責任を直接国民に対して負うことになった。

議会が行政府より優位に立ってしまう現象は、中央政治だけに限ったことではなかった。州レベル、その下の県・市レベルでも、力関係の逆転にともなう混乱が起きていた。

もともとスハルト体制下では、州知事、県知事・市長はすべて中央政府によって任命されていた。スハルト体制崩壊後、任命制は廃止され、地方首長は各レベルの地方議会で選出されることになった。そして任期中も、州知事、県知事・市長は毎年、責任を負っている議会に対して「責務報告」を行うことが義務づけられた。しかも、議会が二度これを否決すれば、地方首長の罷免を中央政府に提案できることになった。長らく無力化されてきた地方議会は、地方首長に対する監督権を手にして勢いづいた。

二〇〇一年にこの新制度が施行されてから一年も経つと、各地で「議会の横暴」が目立ち始めた。たとえば、責務報告の否決を「脅し」の材料にして州知事から議員歳費の増額や公用車の提供を引き出す、責務報告の否決を飛び越えて議会がいきなり州知事や市長の罷免を決議してしまう、といった具合である。当然、首長の側も議会懐柔策を弄《ろう》せざるを得ない。即効薬はキャッシュである。首長選挙はもちろん責務報告の決議の際にも、議会内に「封筒」が飛び交うようになった。

地方政治の不安定化、金権化、首長と議会の癒着を目の当たりにして、もう一段の改革が必要になった。議会ではなく住民に直接責任を負う地方首長の公選制である。二〇〇四年の地方行政法によって、以後のすべての州、県・市の首長選は、直接自由選挙に移行した。地方首長の罷免には、地方議会の罷免提案に対して最高裁判所が司法判断を下すことが必要になった。

中央集権から地方自治へ

地方政治については、中央―地方関係というもう少し大きな枠組みでみておかなければならない。

スハルト体制は、典型的な中央集権体制だった。そこでは、中央（大統領→内務大臣）→州→県・市→郡→村・町という上意下達の行政ヒエラルキーが貫徹していた。

ハビビ政権期にこれが抜本的に変わった。わずか半年余りでスピード成立した一九九九年の地方行政法（施行は二〇〇一年一月一日から）は、州を飛びこえて県・市に「できる限り広範な自治」を与えたのである。しかも、地方からの自治要求に応えたというよりも、むしろ中央主導でこれを決めてしまった。

なぜ中央が先手を打って、しかも州ではなく県・市を自治の主体にしたのだろうか。住民に近いレベルの方が地元のニーズに合った行政サービスを提供できるから、というのが大義名分である。

けれども実のところ、州に自治権を与えると、州単位での分離独立要求を助長する恐れがあるという強い危惧が中央政府にはあった。事実、長く分離独立運動の続く西端のアチェ、東端のパプアや東ティモールの各州では、スハルト辞任を契機に運動が活発化していた。「バルカニサシ（バルカン半島化、すなわち国家分裂の危機）」がまことしやかに囁《ささや》かれたのもこの頃である。政府は先手を打って県・市に「地方自治」を与え、州の動きを封じ込める必要があった。

県・市政府にしてみれば青天の霹靂《へきれき》である。これまでは「お上」の司令に従順であるほど優等生とされてきたのが、いきなり「自分で自由にやれ」と放り出されたのだから。資源や人材のある一部の地方は喜んだが、ほとんどの地方は混乱した。

一方の州政府は、従来どおり中央の代理として県・市の監督にあたるほか、複数の県・市にまたがる事案の調整を行うことになった。ところが、広範な自治権を与えられた県・市は、当然のことながら、何の報告も上げてこなくなった。県・市に対する州政府の監督・調整機能は有名無実化した。

そこで二〇〇四年、一九九九年法に替わる地方行政法が新たに定められ、州と県・市はともに自治機能と中央行政の補助機能を併せ持つというふうに軌道修正がなされた。これによって、中央の代理としての州と県・市との間にタテの行政関係が復活した。公共サービスの分野では、地方政府は自治権をもつとともに義務も負うことが明記され、中央政府が定める最低サービス基準を満たすことが義務づけられた。

こうして県・市に突出した裁量権を与えた自治制度は見直され、地方自治と緩やかなタテの行政ヒエラルキーとが併存する制度へと改編された。

政治制度の弁証法的進化

以上にみてきたように、スハルト大統領辞任後のインドネシアの政治制度は、まず「スハルト的なるもの」（テーゼ）が全否定され、「スハルト的であらざるもの」（アンチテーゼ）に振り子が振れ、それがもう一度否定されてより高次の制度に止揚《しよう》（アウフヘーベン）されるといった、弁証法的な進化を遂げた。

そうした弁証法的進化の末に到達した制度体系には、自由と人権の保障、三権分立、直接選挙、地方自治といった、現代民主主義における重要な要素が組み込まれている。憲法の改正は、二〇〇二年の第四次改正をもって落ち着き、以後二〇一一年現在にいたるまで制度の根幹にかかわるような再改正の論議は起きていない。インドネシアの政治体制がそう簡単に揺らぐことのない一つの制度的均衡点に達したとみる所以である。

堅固な権威主義体制から安定した民主主義体制への大転換を六年半でなし遂げたインドネシアは、今後長く世界で参照される例になることだろう。二〇一〇年、幼少期を過ごしたジャカルタに「里帰り」をはたしたオバマ米大統領も、「世界にとって理想的な民主主義国家のモデル」とインドネシアを絶賛したほどである。そして実際、二〇一一年初から民主化革命が連鎖している中東において、インドネシアは一つの目指すべきモデルとされている。

インドネシアはなぜ大転換をなし得たのか。まずは、スハルト辞任の後を継いだハビビ第三代大統領が、スハルト側近でありながら、ドイツで工学教育を受けた徹底した合理主義者だった。

そして、体制内に民主化改革の受け皿があった。ハビビだけでなく、内閣、国会、ゴルカル、国軍といった体制内の各集団のなかで最もスハルトに近かった元側近たちが、最後は家族優先に傾いていったスハルトに見切りをつけ、ハビビ政権の担い手になった。

また、体制外には、最大にして保守穏健派のイスラム団体NU（ナフダトゥル・ウラマ）議長アブドゥルラフマン・ワヒド（第四代大統領）、民族主義勢力の熱い支持を受けたメガワティ・スカルノプトリ（第五代大統領、初代大統領スカルノの長女）、革新派イスラム団体ムハマディヤの会長アミン・ライスなど、異なる勢力を代表する複数の「改革」指導者が存在した。

さらに、スハルト政権崩壊に力を発揮したさまざまな在野の社会勢力から、政党政治家、NGO代表、労働組合リーダーなどが生まれ出た。彼らは、言論の自由を得たメディア上で、政策担当者、法律家、学者を交えて日夜新しい民主主義のかたちを求めて議論を繰り広げた。

そして、これらの人々の多くに、武力や暴力による超法規的な手段は使わず、法にのっとって平和的に新しい時代を築こうとする意識が共有されていた。

普段はおとなしいといわれ、のんびり屋だと評されるインドネシア人だが、いざとなると内に秘めた巨大なエネルギーを集中的に発揮することを証明してみせたような体制転換であった。

スハルト辞任の前後には、一部で「アメリカ陰謀説」も囁かれた。「市場」の圧力、その背後にあるＩＭＦ（国際通貨基金）の改革圧力は、体制崩壊の一つのきっかけにはなったろう。だが、外的な力だけではその後の弁証法的進化は起こり得なかった。たとえばイラクが、まさしく外的な力で体制を破壊され、その後一〇年近くを経ても混迷からの出口を見いだせずにいるのをみれば、その違いは明らかである。

体制転換の過程でインドネシアは犠牲も払った。いくつかの地方で民族集団や宗教の違いから紛争が起き、経済的には六％成長に届かず失業率が上がっていく一〇年を経験した。大転換にともなう苦難が苛烈《かれつ》だっただけに、一般庶民も政治エリートも、近い将来また再び政治変動が起きることを望んではいない。庶民が望んでいるのは、日常生活が安定し、今日よりも明日が少しでも豊かになること、それだけである。

2　ユドヨノの一〇年

国民が選んだ初代大統領ユドヨノ

その庶民が初めて自らの選択で国政を託したのが、スシロ・バンバン・ユドヨノ大統領であった。現地では頭文字をとってSBY（エス・ベー・イェー）と呼び習わされている。第六代大統領にして初めて、政変によらずに正常な形で就任し、かつ退任する大統領となる可能性が高い。

ユドヨノは二〇〇四年、新設の小政党、民主主義者党（パルタイ・デモクラット）を率いて大統領選挙に挑戦し、決選投票で現職大統領のメガワティを破って当選した。二〇〇九年の大統領選挙では一回目の投票で六〇・八％を得票し、他の二組の候補を下して再選を決めた。最大二期一〇年という第一次改正憲法の規定にしたがって、二〇一四年まで一〇年間の任期を務める。

一九四九年九月九日、中ジャワとの州境に近い東ジャワのパチタンに生まれた。一般にジャワ人は、和を尊び「協議（ムシャワラ）と合意（ムファカット）」を重んじる農耕民族的気質として知られる。言動が常に穏やかであることが洗練された（ハルース）態度であり、性急すぎたり感情を抑制できなかったりする態度を粗野（カサール）として軽蔑する。ユドヨノは、そうしたジャワ人気質のひとつの典型のような人物である。沈思黙考型であり、逆にそれをもって大統領としては優柔不断だ、実行力に欠ける、と批判する向きもある。

生粋の軍人である。父は陸軍中尉どまりの下級軍人だった。自分は将官になるのが小さい頃からの夢で、陸軍の最高位である陸軍参謀長が憧れのポストだったと語っている。妻は、一九六〇年代後半に共産党系勢力の鎮圧や地方の平定で軍功を立てた有力軍人サルウォ・エディ・ウィボウォ陸軍中将の三女である。彼女の弟、つまり義弟も軍人、自身の二人の息子のうち長男も現役軍人という軍人一家である。

ユドヨノは、国軍士官学校を一九七三年に首席で卒業した。その優等生気質は今にいたるまで変わらない。数回にわたる米軍基地での軍事訓練だけでは飽き足らず、アメリカのウェブスター大学で経営学修士（MBA）を取得し、異色の学究肌軍人として話題になった。大統領就任の直前には、農村の貧困撲滅政策に関する研究でボゴール農科大学から農業経済学博士号を取得した。大統領より大学教授向きではないかという評すら聞かれる。

国軍士官学校の同期入学にプラボウォ・スビアントがいた。経済学界の長老スミトロ・ジョヨハディクスモ博士の長男であり、イギリスで高校を卒業している。後にスハルトの次女と結婚して軍内エリート街道を驀進《ばくしん》する人物である。だが、プラボウォの卒業年次はユドヨノより一年遅い。ユドヨノと同期では首席になれないと踏んだプラボウォがわざと一年遅らせたという説がある。

ユドヨノのキャリアは、優等生の誉れ高い割には地味だった。初めこそエリート部隊である陸軍戦略予備軍司令部（コストラッド）に配属されたものの、一番長く務めた地方軍管区はウダヤナ（バリ以東のヌサトゥンガラ諸島）、将官ポストである司令官に昇格したのはスリウィジャヤ（南スマトラ）であり、エリートコースであるジャワから外れていた。岳父サルウォ・エディがその有能さと人望の厚さゆえにスハルトに警戒され、やがて軍内の昇格ルートから外されたのとどこか重なるものがある。

他方、プラボウォは一貫して陸軍特殊部隊（コパスス）とコストラッドで特殊工作の技を磨き、両部隊の司令官を歴任する。スハルト政権末期にユドヨノの上司となるウィラント国軍司令官も、大統領副官、ジャカルタ軍管区司令官、コストラッド司令官、陸軍参謀長という絵に描いたようなエリートキャリアを積んできた。直接スハルトに見込まれた彼ら側近派とは、ユドヨノは一線を画す立ち位置にいた。

しかし、歴史の大転換によって運命は逆転する。スハルト政権崩壊の半年前に国軍参謀本部に戻っていたユドヨノは、軍内きっての改革派として国軍と在野の改革要求勢力との貴重なパイプ役となった。軍は最後まで政変の表舞台から一歩引き、表面上は国家の守護とスハルトの身の安全を保障する役割に徹した。だが水面下では、手順を踏んで二年後に政権移行を図る「ソフトランディング・シナリオ」という名の事実上のスハルト引退シナリオを、スハルトも穏健派改革勢力も飲める形で準備していたのが国軍参謀本部であり、その中心にいたのがほかならぬユドヨノであった。

他方、プラボウォは、スハルト側近軍人として反政府活動家への弾圧をすすめる一方で、改革要求運動から転じたジャカルタ大暴動（一九九八年五月一四～一五日）を裏から画策した節がある。狙いは責任者たるウィラント司令官の追い落とし、自らの軍内昇進にあったろう。だがスハルト政権崩壊後、プラボウォは反政府活動家の誘拐に関与した廉《かど》で軍籍剝奪、名誉除隊となり、軍人としての野心は水泡に帰した。ジャカルタ大暴動にかかわっていたかどうか、真相は闇に葬られた。そしてウィラントも、国軍による人権侵害行為の責任を問われる立場に立たされた。

それに対してユドヨノは、アブドゥルラフマン・ワヒド大統領に請われて初入閣し、そこから政治家として表街道を歩み始めるのである。本人としては、陸軍参謀長への夢を断腸の思いで諦めたと語ってはいるが。

ウィラントは二〇〇四年に大統領候補、二〇〇九年には副大統領候補として、プラボウォは二〇〇九年に副大統領候補としてそれぞれ大統領選挙に出馬したが、ユドヨノに敗退した。

ユドヨノは、政権第一期（二〇〇四〜〇九年）には、南スラウェシ出身の企業家ユスフ・カラ副大統領とペアを組んだ。ユスフ・カラは、海洋民族として知られるブギス人らしく、即断即決型で物言いはストレート、フットワークが軽い。ユドヨノとはまるで対照的な性格である。正副大統領コンビとして相互補完的だったが、しばしば不協和音も生じた。ユドヨノはまた、企業家出身の政治家が有力ポストに就くと関係企業が急成長する傾向にも批判的だった。そこで政権第二期（二〇〇九〜一四年）には、同じジャワ人で、企業家でもなく政党政治家でもない、経済テクノクラート出身のブディオノをペアの相手に選んだ。

アチェ和平とテロ抑止

ユドヨノ政権の成果は、と問われれば、まず筆頭に治安の安定を挙げることができるだろう。それを象徴するできごとの一つが、アチェ和平である。

アチェ問題の根は深く、対オランダ植民地闘争の歴史にまで遡る。アチェはインドネシア全土の地図からみると西北端の辺境にみえるが、歴史をひも解けば東西海上交易の要衝を扼《やく》する表玄関であり、イスラム先進地域だった。アチェ人がこの地を「セランビ・メッカ」（メッカの前庭）と呼ぶのも、聖地メッカに向かう玄関口という誇りが込められている。

この地に四〇〇年にわたって繁栄したアチェ王国は、一九〇三年に滅亡させられるまで三〇年におよぶアチェ戦争を闘い抜いてオランダの植民地化に最後まで抵抗した。だが、対オランダ闘争の功績にもかかわらず、独立後に「アチェをイスラム法にもとづく自治区にする」要求は実現せず、北スマトラ州に併合された。そこからイスラム国樹立を掲げた抵抗運動が一九五〇年代に発生する。

スハルト政権初期に、アチェで天然ガスの産出が本格化すると、アチェ固有の資源を中央に収奪されているという反感が湧き起こった。一九七六年、アチェ戦争の英雄の孫ハサン・ディ・ティロはアチェの分離独立を宣言して武装組織「自由アチェ運動（GAM）」を結成した。スハルト政権はこれを武力で抑え、指導者がスウェーデンに亡命した後も一九八九年から軍事作戦地域に指定してGAMの殲滅《せんめつ》を図った。スハルト政権が崩壊するまでの二〇余年、住民をも巻き込んだ国軍とGAMとの交戦状態が断続的に続いたのである。

インドネシアという国は、各地の多種多様な民族がオランダを共通の敵として共に闘ったというその歴史的事実を唯一の根拠として誕生した国家である。もしアチェの独立を認めてしまえば、この地域を一つの国家にまとめておく存立根拠そのものが脅かされる。スハルトならずとも、歴代政権が断じてアチェを独立させられないと考えるのも道理であった。

スハルト退陣後、今こそ独立の好機と勢いづくGAMに対して、GAMを直接対話の相手とみなして和平への端緒を開いたのが、リベラルなイスラム指導者であるアブドゥルラフマン・ワヒド大統領であった。しかし、国軍は力の論理を捨てられず、メガワティ政権では再び軍事強硬路線に逆戻りしてしまう。

建国以来のこの喉元にささった棘《とげ》のようなアチェ問題を、ユドヨノ政権が和平に導くことができたのには、いくつかの理由がある。

まず、政権発足直後の二〇〇四年末にアチェを襲ったスマトラ島沖大地震・津波が大きなきっかけになった。国内の死者・行方不明者一六万人という未曽有の大災害は、GAMにも壊滅的な打撃を与えた。逆に中央政府は、救援と復興で圧倒的な存在感を示した。

この機に、フットワークの軽いユスフ・カラ副大統領は、外国ネットワークを駆使してGAMとの接触に成功した。国会は、GAM出身者の参加を想定した地方政党の設立と独自の行政権を、アチェには特別に認める決断をした。さらに、ユドヨノ大統領自身が国軍出身でかつ改革派だったからこそ、撤退に抵抗する軍内強硬派を人事異動などによって抑えることができた。

二〇〇五年八月、GAMは独立要求を捨て、政府との和平文書に調印した。その後、アチェ統治法が制定され、アチェにイスラム法が適用された。さらに州知事・県知事・市長一斉直接選挙が平和裡に行われ、その結果、GAM出身者が州知事に選ばれたのである。

歴史に根ざしたアチェ問題にはこうして終止符が打たれた。だが、もう一方に新しいタイプの治安問題、すなわちイスラム過激派によるテロ事件がある。インドネシアでは二〇〇〇年から毎年複数回のテロ事件が発生していたが、ユドヨノ政権になってからは二〇〇五年と二〇〇九年の二回へと、かなりの程度抑えられている。

理由のないことではない。ユドヨノ自身がテロ抑止を重要視していること、治安当局に情報が蓄積されてきたこと、警察の対テロ特別部隊 Densus88 の捜査能力が向上したこと、その結果、指名手配中だった複数の重要テロ犯が射殺・逮捕されたこと、などである。

ユドヨノ政権は、宗教には新興セクトも含めて寛容な姿勢をとる一方、テロはあくまで「宗教に名を借りた暴力行為」として断固たる姿勢で臨んでいる。治安の安定については、やはりユドヨノが生粋の軍人だという点が作用している。

汚職は「文化」から「犯罪」へ

ユドヨノ政権発足後の特筆すべき変化は、「汚職は文化」とまでいわれたインドネシアに「汚職は犯罪」という新しいパラダイムが持ち込まれたことである。

現地有力日刊紙『コンパス』の二〜三面はほとんど汚職専門ページであるかのように、連日汚職疑惑、摘発、裁判の記事が載る。汚職撲滅にかけるユドヨノ大統領の政治的意思には並々ならぬものがある。

スハルト政権末期に「改革」運動の一つのキーワードになったのが「KKN（kolusi〔癒着〕・Korupsi〔汚職〕・Nepotisme〔身内びいき〕）」であった。スハルト大統領に集中した権力の周辺は、すなわちKKNの巣窟《そうくつ》とみなされた。

スハルト政権が崩壊すると、二つの方向が現れた。一つは、それまで最高権力者によって組織化され集権化されていた汚職構造が、一気に分散化したことである。新たに権限（レント）を手にした人々――国会議員にしろ州知事にしろ県議会議員にしろ――は、我先にと汚職の機会を漁《あさ》り始めた。汚職にペナルティがない制度環境であれば、誰もが汚職を一種のビジネスチャンスと捉えるのはしごく当然のことだった。

もう一つは、スハルト時代の反省から生まれた反汚職思想である。アジア通貨危機後にIMFが融資条件としてインドネシア政府につきつけた「統治（ガバナンス）」「透明性（トランスペアレンシー）」「説明責任（アカウンタビリティ）」の強化といった外来の改革思想も、国内の反汚職運動を後押しした。在野にはインドネシア汚職ウォッチ（ICW）を筆頭に、政府に監視の目を光らせる数多くの反汚職NGOが生まれた。

その反汚職思想が具体的な姿として現れたのが、KPKと呼ばれる汚職撲滅委員会である。KPKは、すべての権力から独立した政府機関であり、独自の捜査権と公訴権をもつ。二〇〇三年末に設置され、二〇〇四年から本格的に始動するや、このKPKが目覚ましい活躍を始めた。

国会議員、地方議会議員、州知事、県知事・市長、前閣僚、中央銀行役員、さらには汚職を取り締まる側にある警察、検察庁、裁判所にまで捜査のメスが入った。ユドヨノ大統領の姻戚《いんせき》（長男の妻の実父）にあたる中央銀行理事も公金不正流用の容疑でKPKに逮捕された。検察官が女性企業家から六六万ドルの札束を受け取る現場をKPKが取り押さえたこともある。KPK捕物帳はドラマ仕立てでテレビの人気番組にもなり、国民は快哉《かいさい》を叫んだ。

だが、KPKの快進撃は、反汚職改革の第一幕にすぎなかったことがほどなく明らかになる。二〇〇九年、KPK委員長アンタサリ・アズハルが殺人事件の黒幕として警察に逮捕され、一審で禁固一八年の有罪判決を受けた。だが、アンタサリは「はめられた」として無罪を主張している。KPK副委員長二人も収賄容疑で警察に逮捕されたが、その収賄はKPKの捜査対象だった企業家が捏造《ねつぞう》したものだったことが判明した。

つまり、KPKに切り込まれる一方だった警察、検察、贈賄者たち、その周辺で暗躍する「司法マフィア」が、KPKに対して応戦を始めたわけだ。これが汚職撲滅運動の第二幕である。

二〇一〇年には、第5章で紹介する大蔵省を舞台にした税務汚職「ガユス事件」が発覚した。二〇一一年には、ユドヨノのお膝元、民主主義者党の会計責任者ナザルディンによる汚職と海外逃亡事件が持ち上がった。

メスが入れば入るほどウミが出る。もしくは、汚職にペナルティ・コストがかかる制度環境が整い始めたのに、レントを手にした人々の行動パターンはそう簡単には変われない。その結果、事態はかえって悪化しているようにすらみえる。

ドイツに本部がある国際NGOトランスペアレンシー・インターナショナルが毎年発表する「汚職指数」によると、インドネシアの汚職は少しずつ改善傾向にはあるものの、いまだ一七八ヵ国中一一〇位（二〇一〇年、下位ほど重汚職）である。ASEAN一〇ヵ国中では上から五番目だが、中国、インドよりも下位にある。

汚職との闘いは、今後も多難が予想される。潔癖でクリーンなユドヨノ大統領が引退すれば、あるいは「白河の清きに棲《す》みかね」た人々が元気づく局面がくるやもしれない。

だが重要なことは、「汚職は犯罪」というパラダイムはもはや変わらない、ということである。汚職にペナルティを科する法制度も、メディアやNGOや国民による監視の目も、もう後戻りすることはない。その意味でインドネシアは、間違いなく新しい時代に入った。

ソフトパワーとしてのユドヨノ外交

世界的なダイビング・スポットとして知られる北スラウェシ州都マナド。二〇〇九年五月、ここで開かれた第一回世界海洋会議（WOC：World Ocean Conference）の開会式は、ユドヨノ大統領自身の作詞作曲によるSave Our Planetの合唱で幕をあけた。ユドヨノは開会演説で、気候変動や資源乱獲で危機にさらされている海洋環境対策の重要性を訴えた。

WOCは、ユドヨノ政権が始めたインドネシア主宰の国際会議のうちの一つである。世界の海洋国一二一ヵ国に参加を呼びかけ、七三ヵ国・一一機関の代表が参加した。世界最大の海洋群島国家であり、世界有数の熱帯雨林と生物多様性を保有するインドネシアにとって、「環境・気候変動」は看板テーマである。二〇〇七年には気候変動枠組条約第一三回締結国会議（COP13）の議長国として「バリ行動計画」をまとめ、二〇〇九年のG20ピッツバーグ・サミットではユドヨノが気候変動セッションのキースピーカーを務めた。

「民主主義」もユドヨノ外交のアピールポイントである。二〇〇八年からバリ民主主義フォーラムを毎年主宰し、四〇ヵ国以上がすでにメンバー国となっている。二〇〇九年の第二回会議は日本の鳩山首相との共同議長で開催された。「民主主義の価値を共有する」ために年に一回バリ島に参集する面々には、中国、ミャンマー、アフガニスタン、イラン、イラク、サウジアラビアなど、欧米標準からすれば民主主義からほど遠い国々の代表も含まれる。寛容と非排他性（inclusiveness）を信条とするインドネシアならではの包容力である。このフォーラムには参加していない北朝鮮、台湾、リビアなどとも、インドネシアは独自の対話ルートをもつ。

外交は、治安と並んでユドヨノ大統領の得意分野である。内向きにならざるを得なかった体制転換期にすっかり影の薄くなったインドネシアの国際的地位を向上させるべく、ユドヨノは大統領就任早々から積極的な外交を展開している。一人当たり名目GDP水準でいえば、まだ日本の一九六〇年代後半あたりにすぎない段階から、すでに複数の国際会議を主宰しているところにユドヨノの意気込みが感じられよう。

かつてスカルノ初代大統領は非同盟主義の雄として第一回アジア・アフリカ会議（通称バンドゥン会議、一九五五年）を主催した。スハルト第二代大統領はASEANの盟主としての地位を築いた。ユドヨノ時代のインドネシアはG20の一員となり、発展途上国やアジア地域の枠を超えて世界大の舞台に足を踏み入れた。

その一方で、ASEANは今も昔もインドネシアにとって最も大切な「出身母体」である。世界や地域のビッグパワーと渡り合うには、一国ではなくASEANという機構として行動することでパワーを発揮できる、という考え方が基本にある。

そのASEAN内において、民主主義を確立したインドネシアは一歩進んだ立場にある。人権と民主主義の価値を盛り込んだASEAN憲章（二〇〇八年発効）の起草にも、インドネシアは主導的な役割をはたした。二〇一一年はASEAN議長国として、初めてアメリカとロシアの首脳を迎える東アジアサミットを仕切り、南シナ海の安全保障問題を明示的にとり上げて中国を牽制し、二〇一五年のASEAN共同体の実現に向けて域内安全保障協力の布石を打った。

インドネシアの外交戦略に特徴的なのは、特定の大国の影響下に入らない、二大グループのいずれにも与《くみ》しない、という思考法である。たとえば、気候変動会議でユドヨノは、環境優先のヨーロッパ勢と成長優先の新興国勢のどちらからも一定の距離を置いて座るように出席者に指示したという。環境と成長とのバランスをとるのが我が国の立場、というのがその理由だ。

インドネシアが最も嫌うのは、踏み絵を迫るような外交上の選択だ。中国が主唱するASEANプラス3と、日本が重視するASEANプラス6のどちらがより重要かという問いに、インドネシアはあえて回答しない。中国政府が欠席を呼びかけた、人権活動家劉暁波《りゅうぎょうは》への二〇一〇年ノーベル平和賞の授賞式に、駐スウェーデン・インドネシア大使は「たまたま」本国に所用があるために出席しなかった。

TPP（環太平洋経済連携協定）への参加にインドネシアが関心を示さないのも、インドネシアの目にはこれがアメリカ主導の政治的産物と映るからだ。インドネシアはむしろ、ブラジルやインドなど新興国一一ヵ国との「サンパウロ・ラウンド」への参加を優先する（図

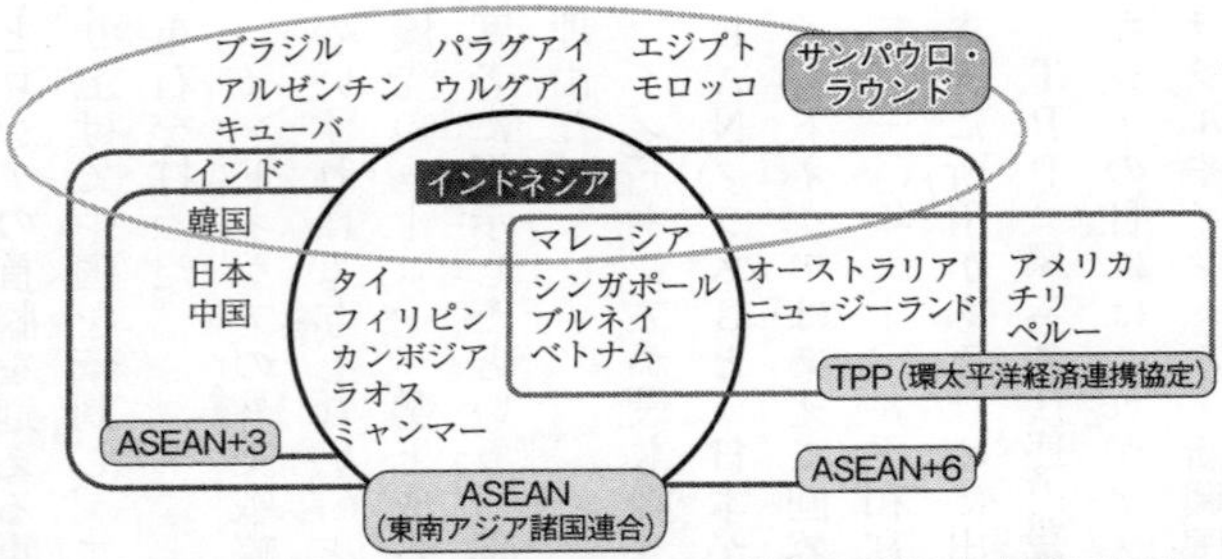

図３－３　アジア太平洋地域における地域協力機構と自由貿易構想

（注）TPPは大枠合意(2011年11月）国のみ。インドネシアがメンバーになっている主な地域協力機構には、他にAPEC（アジア太平洋経済協力会議）がある

3－3）。これは、二〇〇四年にブラジルのサンパウロで開かれたＵＮＣＴＡＤ（国連貿易開発会議）総会で提起され、二〇一〇年に合意された発展途上国間の自由貿易構想である。全貿易品目の七〇％を対象に関税を二〇％引き下げるという、全品目の関税をゼロにするＴＰＰよりもはるかに緩やかな貿易圏を形成する。

すぐれてバランスを重視し、独自のポジショニングをもって自らの強みとするインドネシア外交は、インドと中国の二大文明の狭間で、そして東西文明の交わる海の十字路にあって、長年培われてきた資質が活きているようにみえる。ユドヨノ外交はそうしたインドネシアらしいソフトパワーを体現している。

「ユドヨノの一〇年」を越えて

ユドヨノ政権は、治安と外交で成果を上げ、汚職への取り組みで新時代を拓いた。だが経済面では、失業と貧困の削減目標を第一期目に達成できず、第二期に先送りしたことは第1章でみたとおりである。肝心の経済面での取り組みはどうなっているのか、これは章を改めて次にみることにしよう。

本章では、二〇〇四年のユドヨノ大統領の誕生をもってインドネシアに確立した民主主義体制が、そう簡単に動揺するような性格のものではなく、少なくとも中期的に安定を続けるに足る制度体系の土台をもったものであることをみてきた。

政治体制の安定性が確保されれば、大規模で若い人口パワーがインドネシアの強みとなって活きてくる。これが、私がいま、インドネシアが中期的に持続的な経済成長が可能な局面に入った、とみる理由である。

ユドヨノ大統領は、スハルト時代の反省にたって定められた憲法規定により三度目の大統領選出馬はできない。したがって、二〇一四年一〇月に大統領は必ず替わる。ユドヨノが替わることによって、政治の安定が揺らぐことはないのだろうか。

選挙による政権交替は、まさしく民主主義の証しである。民主主義体制の土台そのものがそれで揺らぐことはない。大統領が替わって起こり得るのは、政策路線の変更である。けれども、どのような路線をとるにせよ、国民に選ばれた大統領は、「今日よりも明日が少しでも豊かになる」方向へ国民を導くことが求められる。成長重視という点は変わらない。

政党名	党首名	得票率（%）		
		1999	2004	2009
民主主義者党（PD）	アナス・ウルバニングルム（前民主主義者党国会会派長）	－	7.5	20.9
ゴルカル党	アブリザル・バクリ（前国民福祉調整大臣）	22.4	21.6	14.5
闘争民主党（PDI-P）	メガワティ・スカルノプトリ（前大統領）	33.7	18.5	14.0
福祉正義党（PKS）	ティファトゥル・スンビリン（現通信・情報大臣）	1.4	7.3	7.9
国民信託党（PAN）	ハッタ・ラジャサ（現経済調整大臣）	7.1	6.4	6.0
開発統一党（PPP）	スルヤダルマ・アリ（現宗教大臣）	10.7	8.2	5.3
民族覚醒党（PKB）	ムハイミン・イスカンダル（現労働力・移住大臣）	12.6	10.6	4.9
グリンドラ党（大インドネシア運動党）	プラボウォ・スビアント（元陸軍戦略予備軍司令官）	－	－	4.5
ハヌラ党（民衆の真心党）	ウィラント（元国軍司令官）	－	－	3.8
その他政党		12.1	19.9	18.3
	合　計	100.0	100.0	100.0

表3－1　国会議席をもつ政党と総選挙得票率（2011年時点）
（出所）総選挙委員会ほか各種資料より作成

しかも、次期大統領の候補者は限定されている。無名の人物が彗星のごとくに現れてまったく予想外の方向に事態が展開する可能性は小さい。

次の大統領を決めるためのゲームのルールははっきりしている。二〇一四年四月頃に行われる総選挙で二五％以上を得票した単独政党または複数の政党連合だけが正副大統領候補を擁立できる。したがって、正副大統領候補は最大で三組ということになる。次期総選挙で第一党と第二党になった政党が候補擁立に主導権を握り、第三党以下の政党連合ももう一組候補を立てることができる。

現在国会に議席をもつ政党とその党首、民主化後三回の総選挙におけるそれぞれの得票率を表3－1にまとめた。ゲームのルールにしたがえば、ここに示されている政党のなかから勝利政党が出て、その政党の党首が大統領候補として有利な立場に立つ可能性が高い。

民主主義の世の常で、政局は常に喧《かまびす》しい。二〇一四年の選挙戦は熱を帯びるだろう。だが、その結果のいかんにかかわらず、「安定と成長のインドネシア」という基本的な道筋は「ユドヨノの一〇年」を越えて続く。これが現時点での私の見立てである。

第4章

フルセット主義 Ver. 2.0 の行方

「インドネシア経済開発加速・拡大マスタープラン 2011～2025年」の表紙

1　戻ってきた「見える手」

成長のボトルネック

インドネシアの首都ジャカルタを初めて訪れた日本人は、まずは渋滞のすさまじさに圧倒されることだろう。「一日の三分の一はベッドの上、三分の一は職場、残りの三分の一は道路の上」と、ジャカルタの人々は半ばあきらめ顔でいう。

首都の渋滞地獄は、二〇一〇年代半ば頃まで続きそうだ。一九八〇年代から一九九〇年代半ばにタイの首都バンコクで起きた現象と同じで、年々経済成長が加速しているのにインフラストラクチャーの供給が追いつかないからである。日本の円借款《しゃっかん》で建設される高架と地下鉄からなるジャカルタ首都鉄道MRT（大量輸送機関）が二〇一六年頃に開通するまでは、市内の移動はほとんど車かバスかバイクに頼るしかないのが実情だ。

深刻な渋滞にもかかわらず、車とバイクは売れに売れている。二〇一〇年には四輪車七六万台、二輪車七三六万台と、いずれも年間販売最多記録を更新した。

車は一種のステータス・シンボルなので「渋滞がひどいから」という理由で車を買い控えよう、といった発想はインドネシア人にはない。バイクは車間を縫って効率よく動けるので、渋滞がひどいほど売れる。というわけで、保有台数はますます増え、渋滞はさらに悪化する。

道路に限らず、港湾、空港、電力といったインフラは、体制転換期の間に質量ともに劣化してしまった。既存インフラのメンテナンスがなされず、新しいインフラ開発も先送りにされた。インフラ不足が成長を阻害するボトルネックになっている、という認識は、二〇〇四年のユドヨノ政権発足時から政府内に強くあった。

インフラ開発を最大のテーマに掲げながら、ユドヨノ政権の歩みは遅かった。政権一〇年の七年目にあたる二〇一一年、ようやくこの問題に一定のメドをつけるとともに、ユドヨノ政権は将来に向けた総合的な国土開発計画を発表した。それがここでいう、フルセット主義Ver.2・0政策である。

本章では、現在進行中の経済開発政策を追うとともに、実際にどのような産業がインドネシア経済の成長のエンジンになりつつあるのか、政策と実態の両方をみていこう。

インフラ開発はなぜ進まなかったか

ユドヨノ政権は、発足間もない二〇〇五年初、インフラ投資を誘致するため、国内と海外二二ヵ国の官民投資家を招いて「インフラ・サミット」と称する国際会議を大々的に開催した。ところが、サミットから一年経っても、政府が提示した九一案件のうちわずか六件しか具体化しなかった。なぜこういうことになったのか。それには、次のような背景があった。

まず、政府はもはやインフラ投資の主人公にはなり得なくなっていた。スハルト時代には、毎年の国家予算にGDP比で九％（一九九〇～九六年平均）に相当する「開発歳出」と呼ばれる財政投資が組み込まれ、その大部分がインフラ開発に向けられた。「開発歳出」の財源は四割弱が外国援助、残りが石油ガス輸出収入などの国内歳入だった。

これに対して、スハルト後の政府は、外国援助を当然のことのように組み入れてきた予算編成の慣習をとりやめ、外国援助を最小限に減らしていくことにした。方針転換の公式の理由は、政府債務の削減である。だが、その胸の内には、IMFや世界銀行などドナーの指図を受け続けることへの屈辱感があったことだろう。アブドゥルラフマン・ワヒド大統領にこの思いはとくに強かった。ユドヨノ大統領も一九六七年からスハルト体制を支えてきた「インドネシア支援国会合（CGI）」を「もはや必要なし」として二〇〇七年に解散している。

外国援助を削減した結果、財政投資に回せる予算の余裕はなくなった。政府のインフラ投資はGDP比で三％（一九九九～二〇〇九年平均）にまで減少した。

政府だけでは必要なインフラ開発を賄《まかな》えないのであれば民間資本を動員しよう、という発想で、先の「インフラ・サミット」は開かれ、みごとに失敗した。インフラ開発に民間資本を動員するには、不幸な過去を乗り越えなければならなかったのである。

腕組みをして見下ろすカムドシュIMF専務理事の前で、経済改革の協定書に署名するスハルト大統領（1998年1月）。ワヤン（ジャワの伝統的な影絵芝居）を背景にしたこの光景は、屈辱の一場面として人々の脳裏に焼きつけられた（提供◎ロイター＝共同）

スハルト時代のインフラ開発は国営企業が中心だった。各事業法もそれを前提にしていた。一九九〇年代になると民間企業を参入させるBOT（build, operate, transfer：民間事業者が建設、運営して資金回収後、政府に譲渡する）契約や、外資による独立発電事業者（IPP）からの売電契約が増えたが、根拠法は変えずに個々の契約や大統領決定で対応された。BOT方式を利用して急成長した典型的な例が、スハルトの長女の高速道路事業だった。

スハルト退陣後、これらの事業契約の多くが白紙撤回されるか再交渉になった。公共事業への民間参入は、不透明な事業者の選定、割高な公共料金、政府保証の乱発をともなう「KKN（癒着・汚職・身内びいき）」の温床とみなされたからである。スハルト後の歴代政権はこのトラウマに呪縛された。

ユドヨノ政権は「インフラ・サミット」の失敗後、現実を直視させられた。既存の根拠法を、民間の参入を想定したものに刷新しなければならない。政府は、前政権末に成立していた地熱開発、上水道、高速道路に続いて、鉄道、港湾、空港、廃棄物処理、電力の各事業法を二〇〇七〜〇九年に成立させた。

根拠法以上に重要なのが、民間企業の投資リスクを軽減する政府保証制度の整備である。政府は二〇〇五年以降、政府保証の範囲と対象案件を公正に決定するための制度づくりを進めた。二〇〇九年には国営のインフラ保証会社を新設した。同時に、国営インフラ金融会社も設立して、中長期資金の供与に国が直接かかわる体制を整えた。

二〇一一年四月、ユドヨノ政権七年目にして初めて、政府保証つき民間投資案件の入札が行われた。いわゆる官民連携（PPP）型のインフラ投資である。二〇〇万キロワットの中ジャワ州プマラン火力発電所事業に日本と中国がかかわる四組が応札し、日本が参加した企業連合が約三二億ドルで落札した。

財界に影響力をもつインドネシア経営者連盟（APINDO）のソフヤン・ワナンディ会長は二〇一一年五月、潮目の変化をとらえて「政府の計画、企業家の関心からみて、今ようやく企業家たちがインフラ投資に戻っていく時機《とき》がきた」と語っている。

インフラ開発の再始動にこぎ着けるまでに、スハルト退陣から実に一三年。経済面での法制度再構築には、政治体制の転換以上に長い歳月を要したことになる。

民主主義時代の「見える手」

「市場の『見えざる手』はもちろん重要だ。だが、よりバランスのとれた経済開発を加速させるには、政府の『見える手』が必要だ」

二〇一一年五月、ユドヨノ大統領は、『インドネシア経済開発加速・拡大マスタープラン二〇一一～二〇二五年』の発表式典の演説でこう述べた。

この「マスタープラン」は、これまでの政府開発計画とはかなり違う。まず、一四年という長期にわたる経済分野に限定した開発計画は、インドネシアでは過去に例がない。冊子には、写真がふんだんに使われ、インドネシア語版と英語版とが同時に発表された。英語版は、あっても抄訳だけなのが通例のインドネシアにしては珍しい。つまり、今回は外国の目が意識されている。インドネシアの国土の豊かさ、国づくりにかける意気込みを国際社会に恥ずかしくない形で提示したい、というユドヨノの思いが表れている。

目を引くのは、「マスタープラン」の冒頭で、インドネシアが目指すべき将来像が次のような表現で提示されたことだ。

「グローバルな食糧安全保障の基地であり、農業・農園・水産業の各産品と鉱業エネルギー資源の加工センターであり、そしてグローバル・ロジスティック・センターであるインドネシア」

これら複数の機能を、インドネシア全土におよぶ空間的な配置と合わせて示した、いわば国土総合開発計画になっている点も、これまでにみられなかった特徴である。

「マスタープラン」は、ユドヨノの言葉にあるように、政府の「見える手」がインドネシアに再び戻ってきたことを意味している。

スハルト時代には、五年ごとに「国家開発五ヵ年計画」が策定され、政治・経済・社会のすべての分野にわたって開発の数値目標が示された。だが、スハルト体制崩壊後、そうしたやり方は権威主義的な「上からの」押しつけだ、と否定された。政府が誤った介入をして引き起こされる「政府の失敗」は「市場の失敗」よりもずっと有害だ、とエコノミストたちは口をそろえた。メガワティ政権は「国家開発五ヵ年プログラム」を策定したが、そこには政策の優先づけはあっても数値目標はいっさい盛り込まれなかった。

ユドヨノ政権は、第一期に経済面での目に見える成果が上がらず、第二期には強力で具体的な経済開発計画を必要としていた。だが、世の中は民主主義と地方分権の時代である。

「上からの」押しつけにならずに計画を作るにはどうしたらいいか。

そこでユドヨノ政権がとった方法は、中央・地方レベルの政官産学界を広く計画策定のプロセスに参加させることだった。「皆で話し合って決めた」という実績を作り、参加者にオーナーシップをもってもらうためである。実行者となる地方政府と産業界はとくに重要だ。第二期政権が発足すると、数ヵ月に一度ずつ、全三三州の州知事、全国組織の経済団体インドネシア商工会議所（KADIN）代表らを一堂に集めて政策協議が重ねられた。

二二業種と六つの経済回廊

こうした方法で生まれた「マスタープラン」は、「いつもながらの（business as usual）」六%成長に甘んじず、年率七〜九%に成長を加速させるための計画である。六%成長に届くためのボトルネックの解消という発想から、攻めの姿勢に転じている。

「マスタープラン」の目標は、インドネシアが二〇二五年に世界の一〇大経済国に入ることにある。名目GDPを二〇一〇年の七〇〇〇億ドルから二〇二五年に約六倍、世界第九位の四兆〜四・五兆ドルへ、一人当たりGDPを三〇〇〇ドルから約五倍の一万四二五〇〜一万五五〇〇ドルへ増加させることを目指す。

ユドヨノ大統領は、「インドネシアはできる（"Indonesia CAN"）」と国民に呼びかける。

この目標を達成するために提示されるのが、全国各島をインフラ網で連結し、各地の特性に合わせて選ばれた二二の業種を振興するという計画である。成長加速のために必要な二〇二五年までの追加的な総投資額は、四〇一二兆ルピア（二〇一〇年換算レートで四四一九億ドル、約三九兆円）と見積もられている。

その投資額の五六％が二二業種に、四四％がインフラに向けられる（図4－1）。二二業種は、農林水産業七業種、鉱業五業種、製造業六業種、観光業、ＩＴ通信業、そしてジャボデタベク首都圏とジャワ＝スマトラ両島をつなぐスンダ海峡の二つの戦略地域開発からなる。

図に示した投資配分のうち、投資額が二〇〇兆ルピア（二二〇億ドル、約二兆円）を超えるのは、大きい順に電力、石油ガス、ジャボデタベク地域、道路、鉄道、ＩＴ通信、石炭であ

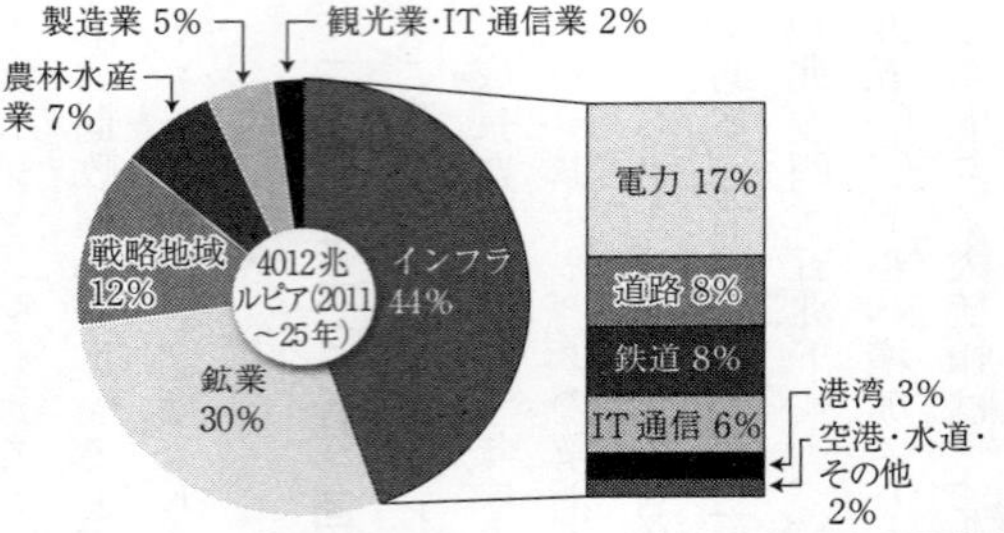

図4－1 「マスタープラン」にもとづく追加的長期投資の業種・部門別配分

（注）農林水産業：食糧・農業、パーム油、ゴム、ココア、畜産、木材、水産品（７業種）／鉱業：石油ガス、石炭、ニッケル、銅、ボーキサイト（５業種）／製造業：飲食品、繊維、鉄鋼、輸送機器、造船、防衛機器（６業種）／戦略地域：ジャボデタベク地域、スンダ海峡戦略地域（２分野）

（出所）『インドネシア経済開発加速・拡大マスタープラン　2011～2025年』50頁より作成

る。大規模な投資を要するのは、インフラと鉱業エネルギー開発である。

他方、農林水産業や製造業では、投資額の多寡に関わりなく、細かに有望分野が選定されている。これは、「マスタープラン」の目玉である「インドネシア経済回廊」が、各地の特性を活かした産業振興と全国を連結するインフラ開発とを組み合わせて設計されているためだ。

「インドネシア経済回廊」は、図4－2にみるとおり六つの経済回廊からなっている。スマトラ回廊は天然資源加工センター＋エネルギー貯蔵庫、ジャワ回廊は工業・サービス業の駆動輪、カリマンタン回廊は鉱業エネルギー生産加工センター、スラウェシ回廊は農業・農園・水産業・石油ガス・鉱業生産加工センター、バリ＝ヌサトゥンガラ回廊は観光ゲートウェイ＋食糧支援地域、パプア＝マルク諸島回廊は食糧・水産業・エネルギー・鉱業開発センターと名づけられている。各回廊は、それぞれ二二業種のうちのいくつかを担当する。

「フルセット主義」の復活

「マスタープラン」はこのように、各島各地の比較優位を足し合わせ、結果として全ての産業分野と全ての国土空間を視野におさめた壮大な「フルセット主義」開発構想となっている。

スハルト体制が推進した軽工業、資源加工業から重工業にいたる全方位的工業化を、私たちはかつて「フルセット主義」工業化政策と呼んだことがある（三平則夫・佐藤百合編『インドネシアの工業化――フルセット主義工業化の行方』一九九二年）。それとの対比でいえば、ユドヨノ政権が策定したこの「マスタープラン」は、対象とするセクターを工業から全産業へ、対象とする空間をかつてのジャワ島中心から全国へと拡張したという意味で、新しい「フルセット主義」、もしくは「フルセット主義」Ｖｅｒ．２・０と呼べるのではなかろうか。

三平は先の編著のなかで、インドネシアは独立以来、経済面における「国家強靭性（national resilience）」を強く意識して、国内にフルセットの産業を築き上げようとする国家的意志をもってきた、と述べている。「フルセット主義」を生みだすのは、第一に、「二度と外国の力に屈しまい」という国民的心情を醸成した長い被植民地経験である。第二に、人口稠密な大市場を提供するジャワ島と、豊富な天然資源を提供する外島からなる国土である。そして第三に、人口、天然資源、国土というそれらの要素の大きさである、という。

だが、スカルノ政権期には、国内資本は弱く外国資本は排除され、「フルセット主義」工業化は単なる願望に終わった。スハルト政権期になると、外国援助と外国投資が動員され、国内資本が成長し、石油ブームの後押しも得て、「フルセット主義」工業化が実体をもち始めた。ただし、資本と技術を要する航空機、造船、石油化学などの重工業は、期待どおりには進まなかった。「フルセット型」工業の完成をみずに、スハルト体制は倒れた。

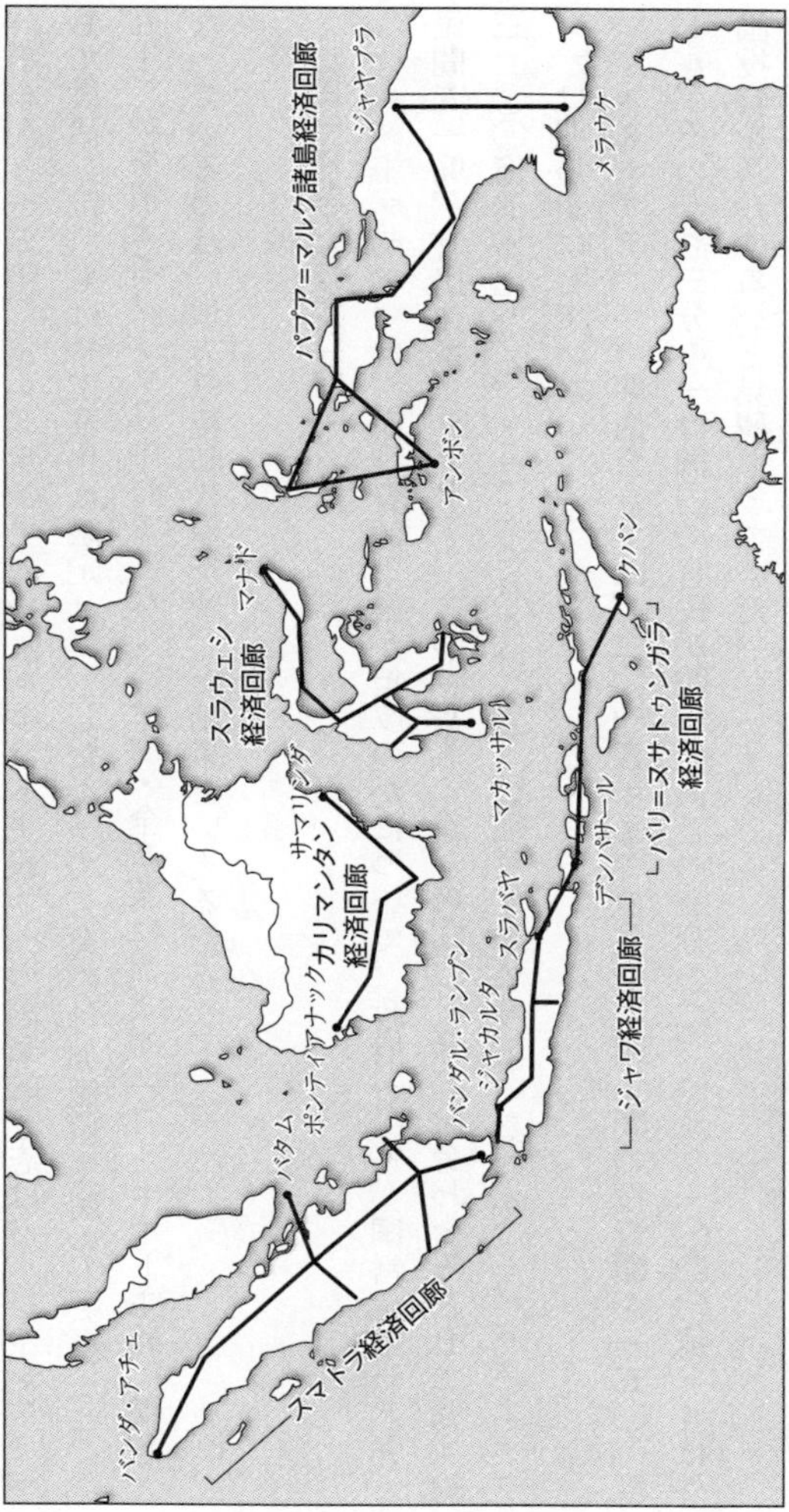

図４－２　インドネシア経済回廊
（出所）インドネシア共和国『インドネシア経済開発加速・拡大マスタープラン　2011～2025年』46頁

それから一三年、インドネシアの「フルセット主義」への国家的意志はバージョンアップして復活した。もはや工業化に限定せず、したがって工業の付加価値生産の七六%（二〇〇九年）が集積するジャワ島中心ではなく、全土・全産業におよぶ「フルセット主義」構想となっているのは、地方分権時代を反映した結果といえるだろう。

官民一体型の経済外交

「マスタープラン」は、総投資額を誰が担うのかについて、政府一〇%、国営企業一八%、民間五一%、官民連携（PPP）二一%としている。民間とPPPを合わせると七二%、約三二〇〇億ドルになる。ここにどれだけの外国投資を見込んでいるのか、「マスタープラン」は明らかにしていない。

「マスタープラン」の準備会合では、二〇一五年までの最初の四年間の投資額を一五〇〇億ドル、そのうち三分の一は国内の官民が賄い、あとの三分の二、つまり一〇〇〇億ドルは外国投資を誘致する、と見積もっていた。

四年で一〇〇〇億ドルもの外資誘致構想と、インフラ関連制度でみた亀の歩みがごとくの制度整備との間には、あまりにも大きなギャップがある。そのギャップを埋める手立ての一つが、首脳の経済外交である。

首脳の経済外交の先駆けは、二〇〇三年に中国からスラバヤ＝マドゥラ大橋建設への支援をとりつけたメガワティ・スカルノプトリ第五代大統領である。東ジャワ州都スラバヤからフェリーで三〇分のマドゥラ島に橋をかける構想は、一九七〇年代から日本の円借款供与の可能性が幾度も取り沙汰されながら実現しなかった。だが、全長五・四キロの大橋は、中国から設計、建設請負、借款・贈与の官民一体型の支援を得て実現した。総工費は当初の計画の一・六倍の推定四八億ドルに膨れ、中国輸出入銀行からの融資は遅れ、完成は予定より三年遅れて二〇〇九年になったが、そうした瑕疵《かし》はきれいに忘れ去られ、中国支援のモニュメントとしての存在感が残った。

ユドヨノ政権下では、ユスフ・カラ前副大統領が二〇〇六年、中国から合計一万メガワット、予定総額七〇億ドルの石炭火力発電所計画への協力をとりつけた。電力不足の打開策として、迅速で安価な発電所建設を重視するカラが首脳会談で即決した。早速入札が行われ、中国企業が次々に落札した。中国からの融資に事後的に政府保証を求められるなど、本件もまた走りながら条件が上乗せされ、融資は遅れ、コストが膨らむパターンをたどりながらも進んでいる。

日本が官民一体型で協力しようとしているのが「首都圏投資促進特別地域（MPA）」である。これは先の「マスタープラン」におけるジャワ経済回廊の核心部であり、二二業種の一つに選ばれたジャボデタベク地域開発の一環でもある。インドネシア政府は、MPAを「マスタープラン」の最優先事業の一つと位置づけている。

具体的には、首都圏の港湾、道路、空港、工業団地、大量輸送機関（MRT）、水道、廃棄物処理、洪水制御などのインフラ整備に制度構築を組み合わせた、ハードとソフト両面での総合的インフラ開発協力である。総投資額は約二兆円と推定されている。

実は日本は、「インドネシア経済回廊」の作成自体にも深くかかわっている。「インドネシア経済回廊」は、二〇一〇年一〇月のASEAN首脳会議で採択された「ASEAN連結性（connectivity）マスタープラン」の一部をなしている。これは、二〇一五年のASEAN共同体の実現に向けて、ASEAN域内の物流・エネルギー・情報通信インフラを連結させようとする計画である。日本政府が支援する国際機関ASEAN・東アジア経済研究所（ERIA）が経済地理シミュレーション・モデル（GSM）を用いて作成した「総合アジア開発計画」が原型となり、各回廊の経済効果に理論的な根拠を与えている。

日本とインドネシアは、ユドヨノ政権誕生間もない二〇〇四年一二月に「日本インドネシア官民合同投資フォーラム」という二国間協力組織を発足させた。インドネシアと官民一体型の協議体を設置したのは日本が初めてである。ユドヨノ政権第一期には投資環境の改善が主なテーマだったが、第二期に入ると「インドネシア経済回廊」やMPAを日本側から提案するなど、より具体的な協力事業に重点が移っている。

そのMPAは、二〇一〇年末に両国政府が協力覚書に署名し、二〇一二年にマスタープランの策定を目指すという。同じ官民一体型でも、走りながら調整を重ねる中国と、走るかどうかをまず考える日本との差は大きい。

韓国も座視してはいない。二〇一一年五月、韓国は、日本と同じような二国間官民合同会議を開催し、日本とほぼ同じ二兆円規模の協力事業を行うことで合意した。常設の共同事務局も設置した。韓国の事業は製造業が中心である。POSCOの鉄鋼、ロッテの石油化学、サムスンとLGの電気電子、ハンコックのタイヤなどの民間投資を政府がバックアップするという形での官民一体型である。

2　何が成長主導産業か

対中国と対ASEANの貿易

成長力を回復したインドネシアに対してしばしば発せられる問いは、「成長主導産業《リーディング》は何なのか」というものである。無理もない。「世界の工場」中国、IT産業のインド、「アジアのデトロイト」タイなどに比べて、インドネシアについてはなかなか具体的なイメージが湧いてこない。

　インドネシア政府としては、「マスタープラン」でこの問いに対する答えを一応出したつもりだが、その答えは広範な産業を網羅した「フルセット主義」であった。

　実際にはどのような産業がインドネシア経済の成長のエンジンになっているのだろうか。

　まず、貿易からみよう。輸出構造は、その国の売れ筋ラインナップを映し出す鏡である。インドネシアの輸出は、一九七〇年代から一九八〇年代初めまで七～八割が原油だった（図4－3）。典型的な産油国型の輸出構造である。だが、一九八〇～九〇年代、わずか五％（一九八二年）だった工業製品のシェアが五九％（二〇〇〇年）にまで拡大した。インドネシアはみごとに新興工業国型に輸出構造を転換することに成功した。

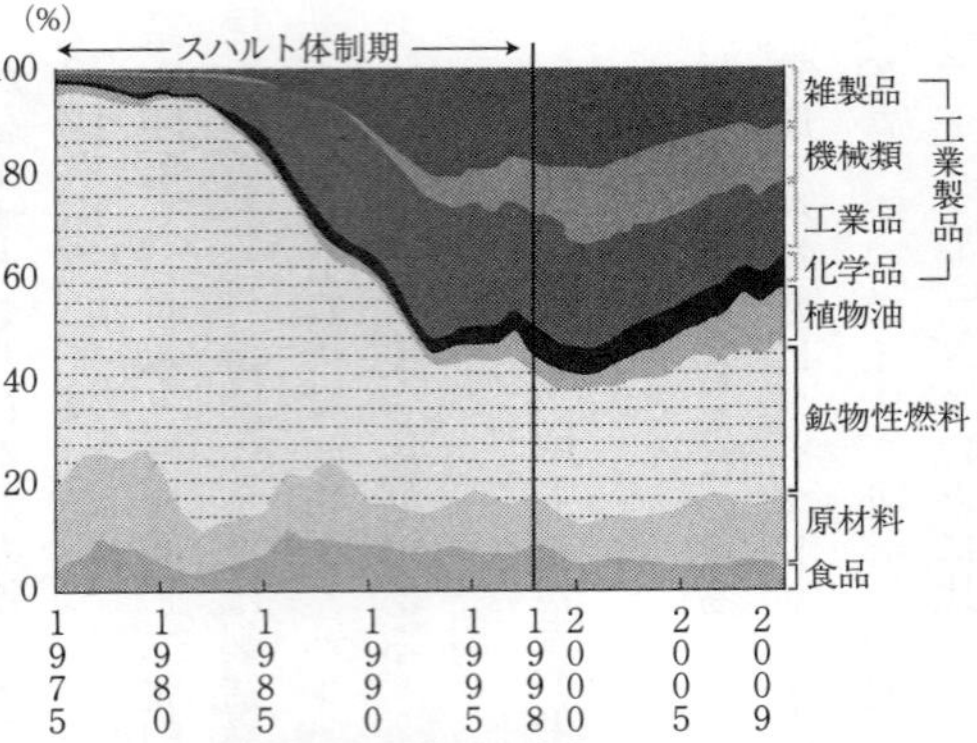

図4－3　品目別輸出構造の変化
（出所）UN Comtrade より作成

　ところが、二〇〇〇年以降、工業製品のシェアは縮小に転じた。二〇一〇年には、一九九一年の水準である四一％にまで下がった。一〇年分逆戻りしたわけである。代わってシェアを伸ばしているのが、原材料、鉱物性燃料、植物油（標準国際貿易分類上の名称は「動植物性油脂」だが、ほとんどが植物性油脂なので、以下「植物油」と略す）。とくに勢いがあるのが石炭であり、パーム原油（CPO）である。

これを貿易相手別にみてみよう。インドネシアの輸出相手国は、原油・天然ガスの最大の仕向け先である日本が一貫して第一位だが、シェアは一六％（二〇一〇年）に漸減している。代わってシェアを拡大しているのが中国、インド、ASEAN諸国である。中国は、これまで第二位の座にあったアメリカを二〇〇九年に追い越して一〇％になった。ASEAN諸国は、個々の国別にみると大きくないが、九ヵ国を合計すると二一％になる。AFTA（ASEAN自由貿易協定）による二〇〇二年からの域内関税〇〜五％への引き下げも、シェア拡大に貢献している。

目下拡大中の中国との貿易構造を図4－4でみると、非対称な関係がはっきり現れる。インドネシアの中国向け輸出は、一九九〇年には六二％が工業製品だったが、二〇一〇年には原材料・鉱物性燃料・植物油の三点セットが七八％を占める構造に様変わりした。石炭とパーム原油の主たる輸出先が中国であることが効いている。逆に、中国からの輸入は、工業製品が六二％（一九九〇年）から八九％（二〇一〇年）にまで拡大した。つまり、インドネシア

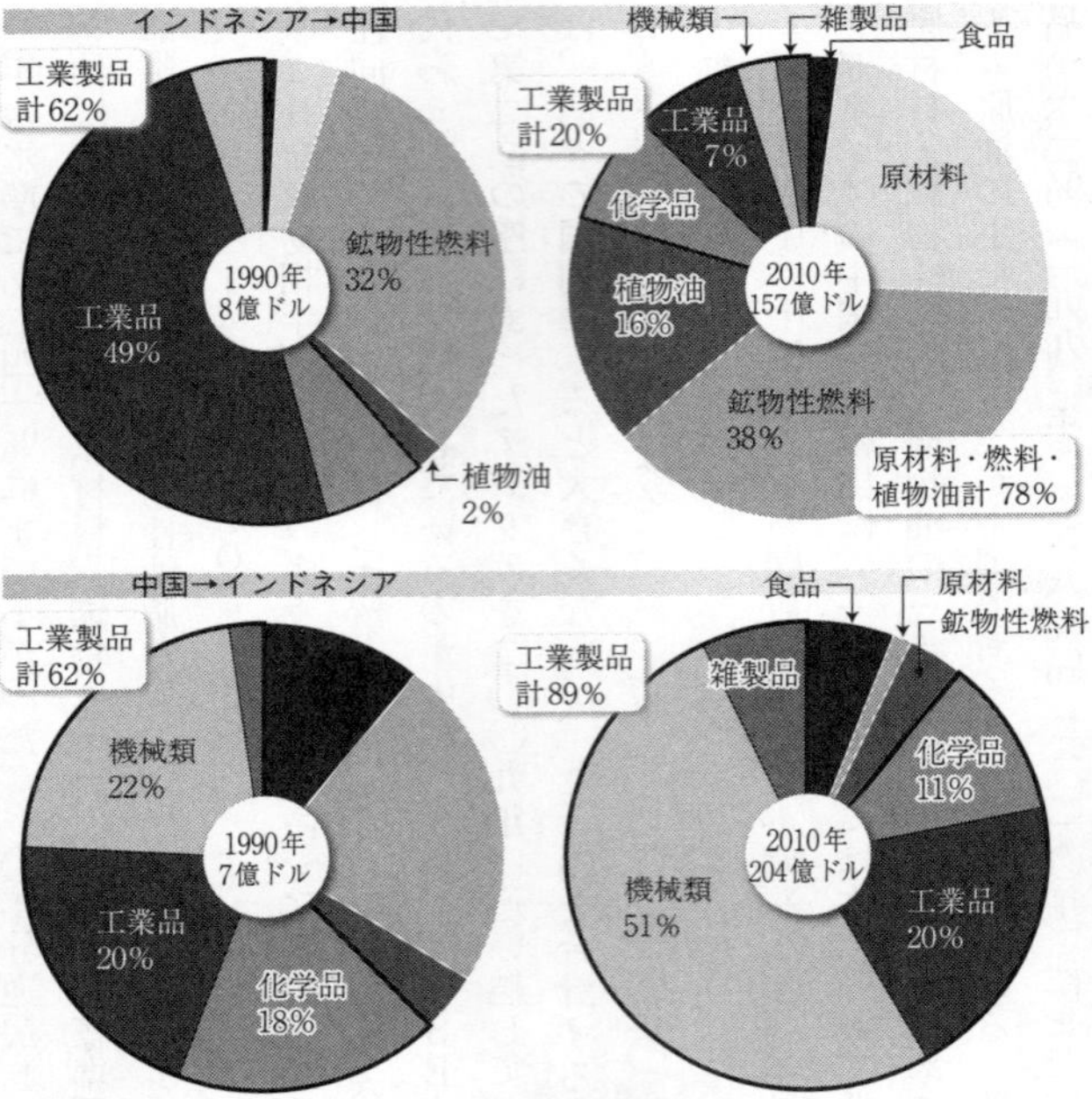

図4－4　インドネシア＝中国貿易の構造変化
（出所）UN Comtrade より作成

は中国にもっぱら資源・一次産品を輸出し、工業製品を輸入している。

ところが、同じくシェアを拡大している対ASEAN諸国貿易をみると、かなり様相が異なっている。輸出も輸入も、一九九〇年も二〇一〇年も、資源・一次産品と工業製品とが比較的バランスしている（図4－5）。

一九九〇年に比べて変化が目立つのは、機械類のシェアがとくに輸出において拡大していること

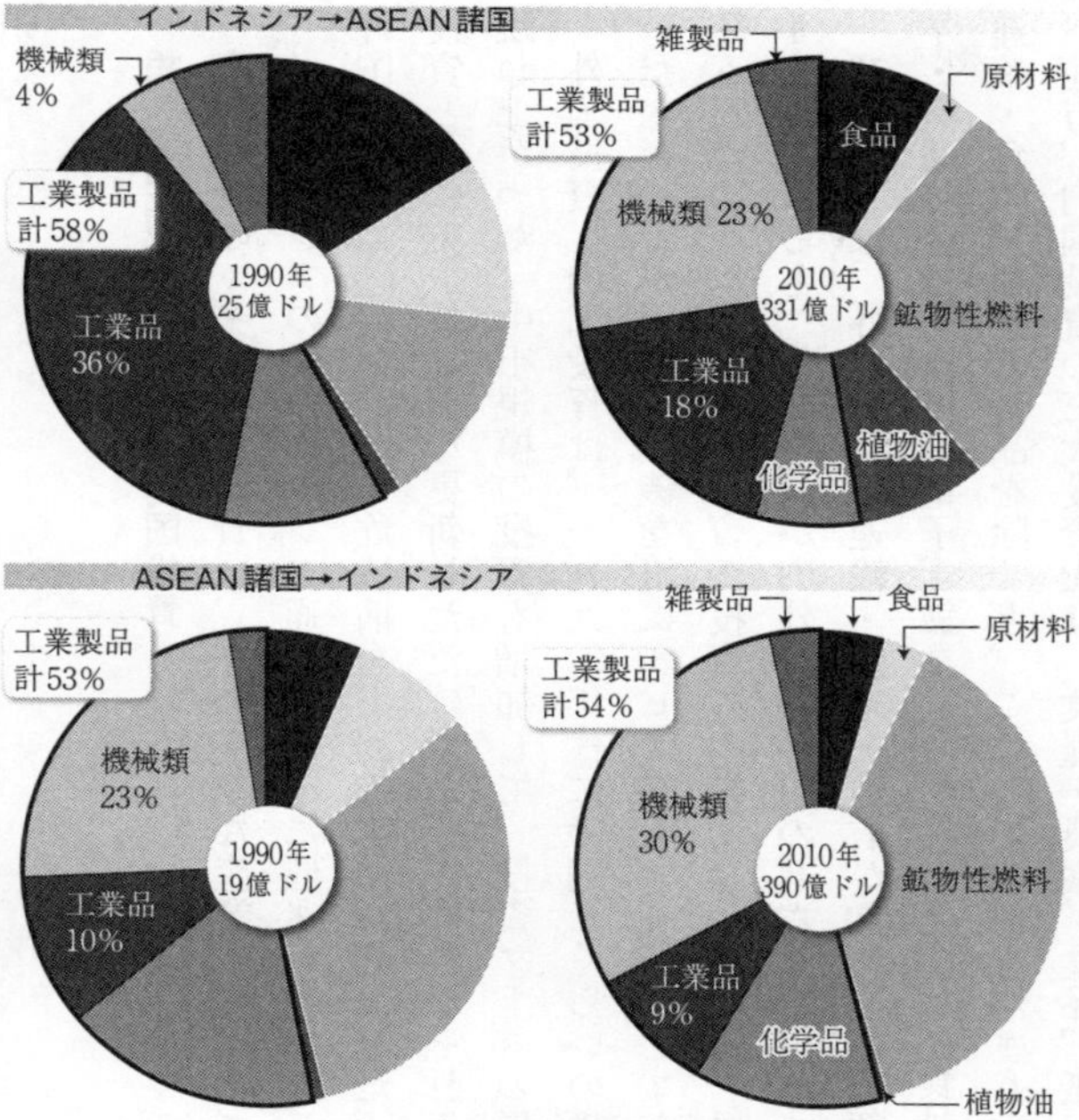

図4－5　インドネシア＝ASEAN 諸国貿易の構造変化

（注）ASEAN 諸国とは、シンガポール、タイ、マレーシア、フィリピン、ブルネイ、ベトナム、カンボジア、ラオス、ミャンマー

（出所）UN Comtrade より作成

である。インドネシアはこれまで、ASEAN域内の機械工業の工程間生産ネットワークから孤立ぎみだったが、遅ればせながら域内ネットワークに組み込まれ始めた様子が表れている。

中国とは資源と工業製品の非対称貿易、ASEAN域内では対称貿易という二面性を、インドネシアの貿易構造はみせている。

相互補完的な外国投資と内国投資

産業形成のカギを握る投資は、どのような産業に向かっているだろうか。

インドネシアの投資はアジア通貨危機後に低迷が続いたが、内国投資は二〇〇五年から、外国投資は二〇〇七年から危機前を上回る水準に回復した。二〇一〇年は、内国投資、外国投資ともに史上最高額を更新しただけでなく、件数がそれぞれ前年の三・五倍、二・五倍に跳ね上がった。中小規模の投資も増加して、投資ブームの様相を呈してきた。

外国投資と内国投資は、一九九〇年代には同じくらいの額か、内国投資額の方が多いくらいだった。だが、通貨危機を境にルピアが大きく減価してドル建てに換算した内国投資額が縮んだため、以後は外国投資が投資の主役になっている。二〇〇七～一〇年の累計投資を表4－1でみると、外国投資が内外資合計額の七六%を占めている。

業種別では、外国投資は運輸・倉庫・通信が群を抜いて額が大きい。それに続くのが、化学・製薬、金属・機械・電子、鉱業（石油ガスを除く）、食品、輸送機器である。内国投資は、運輸・倉庫・通信と食品を除くと、これらの業種をあまり重視していない。

他方、内国投資の三大投資先は、食糧・農園、食品、紙パルプ・印刷である。この三業種では、外国投資を上回る額を投資している。

つまり、外国投資は、通信、鉱業のほかは、化学、金属、機械といった重工業に投資を振り向け、内国資本は農林業・一次産品をベースにした産業を重視している。外資と内資の間には、相互補完的な役割分担が成り立っているようにみえる。

ただし、一つ問題がある。外国投資の国別内訳をみると、シンガポール、モーリシャス、英国（ヴァージン諸島、ケイマン諸島などを含む）が上位三ヵ国であり、投資額の実に五一％を占めている。それに続く日本、オランダ、韓国は純粋な外資とみられるが、上位三ヵ国からの投資には、低課税率あるいは非課税を狙ったインドネシア企業の租税回避投資が含まれている可能性が多分にある。だが、外資のふりをしたインドネシア企業を精確に峻別《しゅんべつ》することは難しい。

（単位：億ドル）

産業	業種	外国投資	内国投資
第1次産業		44	24
	食糧・農園	12	17
	鉱業	31	6
第2次産業		164	92
	食品	28	38
	紙パルプ・印刷	11	20
	化学・製薬	42	11
	金属・機械・電子	32	9
	輸送機器	21	1
第3次産業		314	46
	運輸・倉庫・通信	211	17
合計		522	162
内外資合計額に占める割合（％）		76	24

表4－1　業種別にみた外国・内国投資（2007～2010年の累計額）

（注）石油ガス鉱業と金融業を除く
（出所）インドネシア投資調整庁

企業グループの事業基盤シフト

そこで、インドネシアの国内大資本の側から、彼らがどこに事業基盤を置いているかをみてみよう。

インドネシアには、複数の事業分野を傘下におさめる企業グループが存在する。表4－2に、現地誌『ワルタ・エコノミ』がランク付けした一〇大企業グループの主要事業を、スハルト時代末期と最近年とで比較した。

二〇〇八年の一〇大企業グループは、新興企業家によるグループは二つだけで、あとはスハルト時代にすでに存在したグループである。五グループは上位一〇位以内を維持しており、三グループは二五位以内から浮上した。しかし、顔ぶれはあまり変わらないにもかかわらず、事業基盤はかなり変化している。

一見してわかるように、一九九六年に比べて重工業が減少した。スハルト時代に七グループが軸足を置いていたセメント、自動車、石油化学、電気電子などの資本集約型の重工業は、二グループだけになった。同じ製造業でも、軽工業に分類してあるタバコ、食品といった労働集約型工業、紙パルプ、レーヨンなどの資源立脚型工業は、それほど変わらない。

ここにはやはり、スハルト体制期のいわゆるフルセット主義工業化政策が終焉《しゅうえん》した影響がみてとれる。政策的な強制力やインセンティブがなければ、大規模な投資、投資回収までの

【1996年の10大企業グループ】

順位	企業グループ名	属性	主要事業			
			農業・鉱業	軽工業	重工業	サービス業
1	サリム	C	農園	食品	セメント、自動車	金融
2	アストラ	分散	農園		自動車、重機	金融
3	シナル・マス	C	農園	紙パルプ		金融
4	グダン・ガラム	C		タバコ		
5	リッポ	C				金融、不動産
6	ビマンタラ	P			石油化学、自動車	メディア
7	ガジャ・トゥンガル	C	養殖		タイヤ、化学	金融
8	オンコ／ボブ・ハサン	C			陶器	金融、不動産
9	ジャルム	C		タバコ	電気電子	金融
10	ロダマス	C		調味料	ガラス	不動産

【2008年の10大企業グループ】

順位	企業グループ名	属性	主要事業			
			農業・鉱業	軽工業	重工業	サービス業
1	ジャルム（9）	C		タバコ	電気電子	銀行、不動産
2	ラジャ・ガルーダ・マス（25）	C	農園、石油ガス	紙パルプ、レーヨン		
3	シナル・マス（3）	C	農園	紙パルプ		金融、不動産
4	バクリ（17）	P	農園、石炭			通信、不動産
5	サリム（1）	C	農園	食品		通信
6	アストラ（2）	F	農園		自動車、重機	金融、インフラ
7	パニン（21）	C				金融、不動産
8	パラ＊	P				金融、メディア、不動産、小売
9	リッポ（5）	C				不動産、小売、IT、教育、医療
10	グローバル・メディアコム＊	C				メディア、通信、金融、不動産

表4－2　インドネシア企業グループの事業基盤の変化

（注）＊新興企業グループ。属性はC：華人、P：プリブミ、F：外資（国内資本により創始され、後に外資化されたもの）。カッコ内の数字は1996年の順位

（出所）*Warta Ekonomi* 2009.4.13-19/1997.11.24.より作成

長い懐妊期間、技術的な障壁といった高リスク条件の重工業に、国内民間資本があえて入ろうとしないのは当然だろう。

二〇〇八年に増加しているのは農園と鉱業である。農園とは主にオイルパーム農園・パーム油産業である。石炭の生産拡大は先に述べたとおりである。パーム油と石炭事業は、投資にともなう技術的障壁が比較的低く、それでいて国際市場に競合が少なく利益率が高い。そこに国内民間資本が参入している様子がみてとれる。

サービス業だけに特化したグループが出てきているのも一つの特徴である。サービス業の幅が通信、インフラ、メディア、小売、IT、教育、医療などに広がっている。通貨危機前には企業グループの多くが傘下に銀行をもっていたが、危機で企業グループの傘下銀行はほとんど破綻した。銀行は失ったものの、銀行以外のサービス業はむしろ花盛りである。

国内大資本は、重工業から農園業、鉱業、新興サービス業へと事業基盤の重点をシフトさせている。製造業では、軽工業が中心である。化学・金属・機械などの重工業に投資を振り向けているのは、外資のふりをした国内大資本よりも、日本をはじめとする純粋外資の方が主体であることがわかる。外資と国内大資本とは得意分野を異にし、棲み分けが進んでいるといえそうである。

雇用転換をともなわない経済成長

ここまでの分析で、二種類の投資主体が、それぞれ異なる行動をとっているという構図が浮かんできた。やや単純化しながらまとめておくと、次のようになる。

国内大資本は、パーム油や石炭輸出の担い手であり、その一方、重工業からは足を抜きつつある。第1章で、パーム油や石炭の輸出ブームにともなって脱工業化の症状が出てきている、と述べたが、国内大資本の行動はこの「オランダ病」現象と符合する。中国から流入してくる廉価な工業製品と競合するのを避け、彼らは農園業や鉱業、新興サービス業にシフトしていく。国内大資本のこうした投資行動は、資源輸出と工業製品輸入という中国との非対称貿易の拡大と、表裏一体になっている。

他方、外国資本は、国内資本が投資を回避しがちな重工業でいまだに重要な役割を担っている。インドネシアがＡＳＥＡＮ域内で機械部品貿易を拡大しているところにも、日本をはじめとする外資による企業内または企業間取引ネットワークが活きている。すなわち、外資は工業化と域内水平貿易の主な担い手になっている。

では、二種類の投資主体を足し合わせた全体像はどのようになるだろうか。

インドネシアの産業構造の変化を描いた図４－６をみると、スハルト体制期は農林水産業から製造業へと付加価値生産がシフトした時代だったことがわかる。鉱業のシェアが膨らんだ経済の産油国化は、一九八〇年代半ばまでの一時的な現象にすぎなかった。

これに対して、二〇〇四年以降の民主主義体制期には、農林水産業、鉱業のシェアがそれぞれ拡大傾向に転じ、製造業のシェアが縮小傾向にある。その結果、二〇一〇年時点での産業構成は、農林水産業一五%、製造業二五%、鉱業・建設業他二二%（鉱業だけでは一一%）、サービス業三八%となっている。

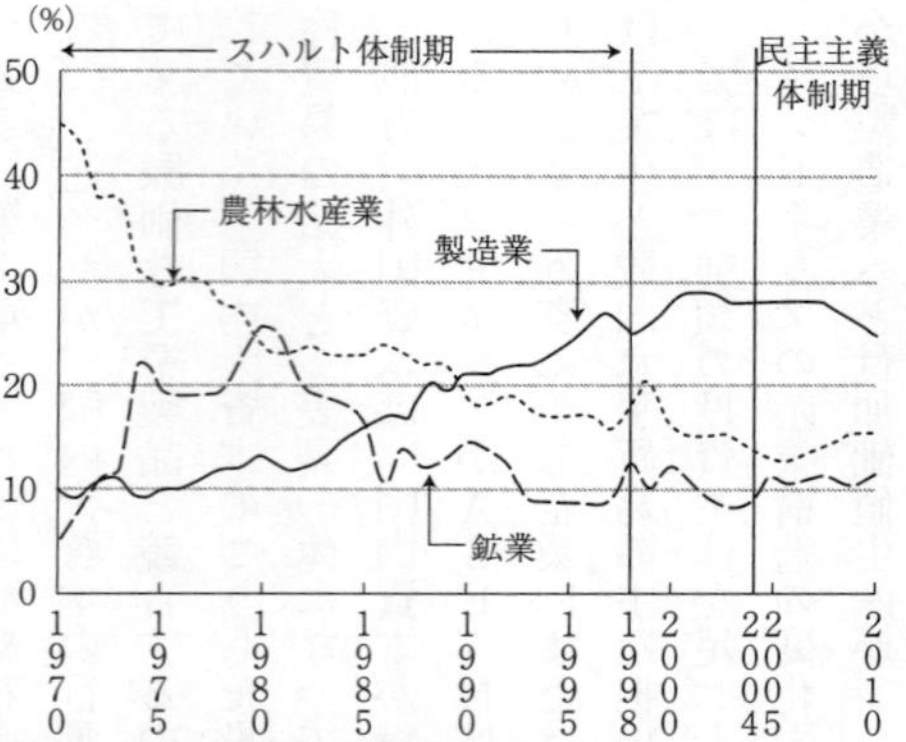

図４－６　産業構造の変化

（出所）インドネシア中央統計庁、*World Development Indicators*

就業構造はどう変化しているだろうか。図4－7のように、縦軸に農業就業人口比率、横軸に経済水準をとると、日本、韓国、台湾の場合には、右下がりのカーブが描かれることが知られている。つまり、経済水準の上昇にともなって、農業に従事する人口の比率が急速に下がっていった。逆に、工業に従事する人口の比率が上昇した。W・アーサー・ルイスの「二重経済論」にしたがえば、伝統的農業部門に滞留していた限界労働生産性がゼロに近い余剰労働力が、成長のエンジンたる近代的工業部門に無制限に供給され、その結果、経済全体が成長し労働生産性が向上する現象である。青木昌彦の最近の研究によると、中国の沿岸部もかつての日本、韓国をなぞるように同様のカーブを描いている。

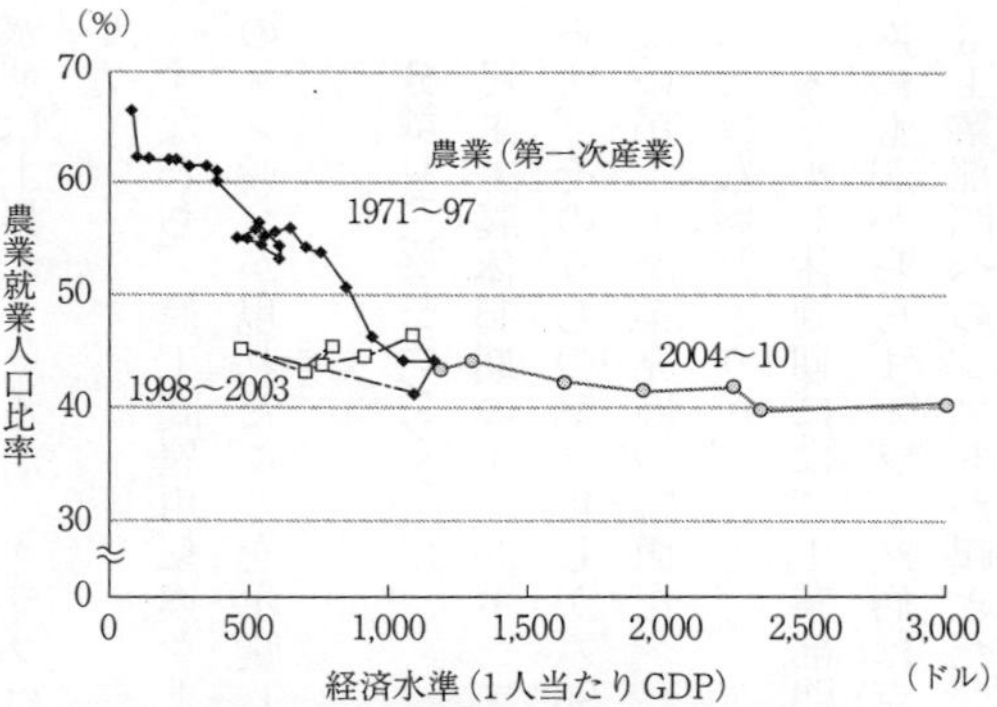

図4－7　経済水準と農業就業人口比率の変化
（出所）インドネシア中央統計庁、*World Development Indicators*

これと同じような変化がインドネシアでもスハルト時代には起きていた（図4－7）。経済水準が上がるにつれて、農業就業人口比率は六六％（一九七一年）から四一％（一九九七年）まで二五ポイント低下し、右下がりのグラフが表れている。同じ期間に、工業就業人口比率は一〇％から一九％に上昇した。つまり、農工間雇用転換をともなう経済成長が起きていた。

これに対して、民主主義体制期には、農業就業人口比率は二〇〇四～一〇年に四三％から四〇％に下がっただけで、一九九七年の水準とほとんど変わっていない。同様に、工業就業人口比率も同じ期間に一九～一八％の間で推移している。経済水準は上昇しているが、グラフは右に水平方向に伸びていて、就業構造はほとんど変わっていない。

すなわち、農工間雇用転換をともなわない経済成長が起きている。これは、農業にも成長のエンジンが現れたことを示唆している。

分散した成長エンジン

民主主義体制期のインドネシアにおける——といっても、現時点でまだ七年しか経っておらず、そのうちの三ヵ年しか六％成長に達していないので、あくまでも暫定的な仮説にすぎないが——産業発展の特徴をスハルト権威主義体制期と対比してみると、次のようにいえるのではないだろうか。

スハルト体制期には、工業部門が明らかに成長のエンジンだった。一時期の石油輸出ブームにもかかわらずオランダ病は克服され、貿易構造、産業構造、就業構造のいずれにおいても工業部門へのシフトが起きた。

スハルト体制は、「上からの工業化」を推し進めるにあたって、軽工業、資源加工業から重工業までをフルセットで国内に構築することを目指した。国内大資本の事業基盤に重工業が組み込まれていたのも、フルセット主義工業化政策あったればこそだった。

これに対して、現在の民主主義体制のもとでは、一つの明確な成長主導産業があるわけではない。投資主体は「上からのフルセット主義工業化」から解き放たれ、それぞれの特性に応じた利益追求行動を始めている。得意分野の異なる投資主体が、全体として相互に補完的な投資行動をとっているため、農業・農園業、鉱業、工業、サービス業にそれぞれ成長のエンジンができている。言い換えれば、成長のエンジンは複数の産業に分散した。結果として、フルセット志向の産業発展パターンが現れている。

ユドヨノ政権の「マスタープラン」は、実はこうした産業発展の方向性を政府が追認したものにほかならない。追認したうえで、「見える手」を加えた。産業と立地を整理し、経済効果を検討し、数値目標を設定し、地方政府や産業界とのコンセンサスを形成する、といった作業である。そしてそれを、インドネシアが目指すべき国土開発ヴィジョンとして高らかに掲げた時、装い新たな「フルセット主義Ver.2・0」となって登場したのである。

3　フルセット主義Ver.2・0の政策課題

理論モデルと異なる成長パターン

「フルセット主義Ver.2・0」国土開発計画がスタートした今、この計画を夢物語に終わらせないためにはどのような「見える手」が今後重要な意味をもってくるだろうか。

この計画の期間は、第2章で取り上げた人口ボーナスの後半期と重なる。そこで、いま一度、人口ボーナスが成長を促すメカニズムに沿って課題を整理してみよう。

大泉啓一郎『老いてゆくアジア』（二〇〇七年）は、伝統的な成長会計モデル——一国の経済成長を労働、資本、生産性の三つの要素によって説明するモデル——にしたがって、次のような三つの人口ボーナスの成長促進メカニズムを説明している。

総人口に占める生産年齢人口の比率が上がると、第一に、労働の投入量が増え、成長を促進する。第二に、所得を手にする人口が増え、貯蓄率が上がる。貯蓄が投資に回って資本の蓄積量が増加し、成長が促される。第三に、出生率が低下すると子供一人当たりにかける教育投資や保健衛生サービスが増える。就業者の教育や健康状態が改善され、技術などの生産性が向上して成長を後押しする。

この三つのメカニズムは、人口ボーナス期間が進むにつれて順に効果をあらわすという。まず、貯蓄率や教育水準が低い初期段階には、労働の投入量の増加が成長を牽引する。労働集約型産業が労働力の受け皿となる。次の段階では、貯蓄率の上昇にともなって資本の増加の効果が現れ、資本集約型産業が成長する。さらに段階が進むと、生産性が労働や資本を上回る成長の牽引役となり、主役は技術・知識集約型産業へと移行していく。

日本、韓国、台湾は、おおむねこのような理論モデルに沿った成長パターンを示してきたと考えられている。

図4－8に、労働、資本、生産性の三つの要素がインドネシアの経済成長にどれだけ貢献してきたかを、タイ、中国と比較した。これをみると、中国は、理論モデルに沿って労働から資本へと成長の牽引役がしだいにシフトしている。

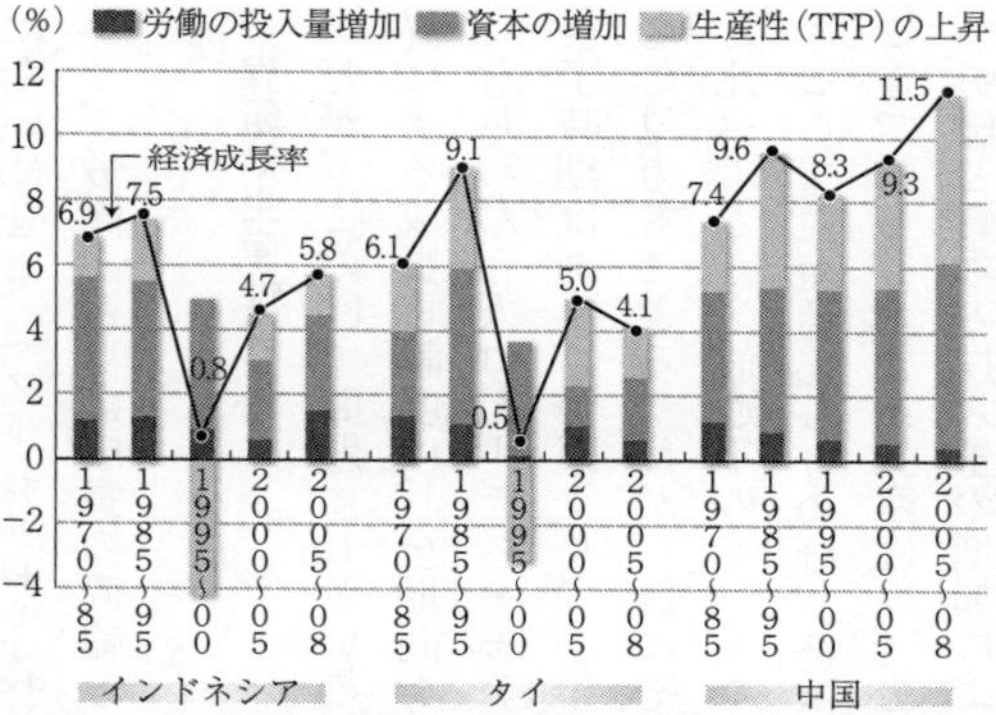

図4－8　労働、資本、生産性の3要素からみた経済成長：インドネシア、タイ、中国の比較

（出所）アジア生産性本部 *APO Productivity Databook*, 2010, p.67, 2011, p.63より作成

これに対して、インドネシアは、理論モデルの想定とはかなり異なる成長パターンをみせている。インドネシアに特徴的なのは、初期段階からいきなり資本の増加が成長を牽引してきたことである。労働集約型産業だけでなく資本集約型産業をも振興したスハルト体制の「フルセット主義」が強く効いたためと考えられる。

労働の投入量増加は、むしろ近年になって貢献度が上がっている。スハルト時代ほど強力ではないにせよ、「フルセット主義Ｖｅｒ．２・０」のもとでこれから再び資本の貢献度が上がり、労働とともに成長の両輪となることが予想される。

課題は生産性

だが、この図で問題にしたいのは、第三の要素、生産性である。インドネシアの生産性上昇による成長貢献度は、全期間を通じてタイ、中国に比べて小さい。

もちろん、人口ボーナス・モデルの段階論にしたがえば、インドネシアの人口ボーナスの終了時期はタイ、中国より二〇年ほど遅く、生産性の貢献度が高まる段階にいたっていないとの見方もできる。だが、仮にそうだとしても、一九八〇年代のタイ、中国の生産性の上昇と比べてさえ、最近年のインドネシアは見劣りする。

ここで生産性というのは、経済成長理論でいう全要素生産性（Total Factor Productivity）のことである。全要素生産性は、労働や資本のように計測することはできず、生産の増加のうち労働と資本の投入量の増加によって説明することのできない「残差」として表される。通常は技術進歩を表すとされるが、実際にはもっと広範な内容を含んでいる。たとえば、教育・訓練による就業者の質的向上、外資導入による生産効率の向上、企業経営の改善、企業間分業や集積の進展、インフラ整備による物流効率の向上、法制度の改善などである。

アメリカの著名な経済学者ポール・クルーグマンが「アジアの奇跡という幻想（The Myth of Asia's Miracle）」（一九九四年）と題した論文によって世界銀行『東アジアの奇跡（*The East Asian Miracle*）』（一九九三年）の議論に対して提起したのが、この生産性の問題であった。曰く、アジアの高成長はもっぱら労働と資本の投入量の増大に支えられたものであり、全要素生産性の伸びが小さいため、高成長は持続的ではなくいずれ行き詰まる。

図4－8のデータにもとづく限り、インドネシアの成長パターンはこのクルーグマンの議論によくあてはまる。たしかにタイ、中国に比べてインドネシアは、生産性の向上にかけることのできる時間的余裕はまだある。とはいえ、フルセット主義Ｖｅｒ．２・０においては、生産性の向上、すなわち広い意味での技術・知識の蓄積に意識的に取り組むことが、成長の持続性という観点から重要な課題となろう。そこにこそ、政府の「見える手」は用いられなければならない。

農業・鉱業・工業の方向性

成長のエンジンが複数の産業に分散したのならば、フルセット主義Ｖｅｒ．２・０では、エンジンたるそれぞれの産業において着実に雇用と付加価値を生み出していくことが肝要である。そこで求められるのは、生産性の向上、技術の蓄積をともなった付加価値の創出がなされるような政策的方向づけである。

農業・農園業は、ややもすれば、単なる量的な拡大、自給率の引き上げ、外貨収入の増大ばかりに目が向けられがちである。だが、これからのインドネシアにとっては、この分野での生産品の質的改善、技術力の向上が大いに重要性を増す。

たとえば、世界最大の生産国となったパーム原油は、国内での二次加工、幅広い産業用用途のある油脂化学（オレオケミカル）が振興されてよい。大量に発生するパーム果実の絞りカス、パーム原木などの廃材の有効利用、排ガス削減も課題になる。天然ゴムにも同じことがいえる。スラウェシ島が主産地であるカカオは、コートジボワールに次ぐ世界第二位の生産量を誇るにもかかわらず、国内加工による付加価値創出はきわめて低いままである。

第二期ユドヨノ政権は、「食糧農園（Food Estrate）」という新しいコンセプトを導入した。これは、従来のインドネシアの小農食糧生産とは一線を画した、大規模かつ資本集約的な方法でコメ、野菜、とうもろこし、さとうきびなどを生産する試みだ。合わせて、高収量品種の普及、地元の人材への農業職業訓練が計画されている。農業分野のなかに高生産性部門を生み出そうとするこの事業は、今後の展開が注目される。

鉱業は、雇用が限定されがちで、しかも、未加工・低加工のまま輸出に回されることが多い。低加工であるほど国際価格の変動に影響されやすい。

そこで政府は、国内における鉱業付加価値生産の向上という方向性を打ち出している。二〇〇九年に制定された鉱物・石炭鉱業法は、鉱物資源の一定割合での国内供給と、国内での加工・精錬を全事業者に義務づけている。より大きな投資と技術を要する二次加工業、たとえば、ボーキサイトからアルミナ（酸化アルミニウム）へ、ニッケル鉱からニッケル鉄へ、といった事業には、投資インセンティブの設計も必要になろう。鉱業分野を、加工技術や低環境負荷技術の蓄積の場にしていく役割を、政府は担わなければならない。

石炭開発の急拡大にともなって、採掘跡に大きな湖のような酸性坑廃水が放置される例が増え、社会問題になっている。そこで、先の鉱物・石炭鉱業法には採掘終了後の周辺環境の修復までを含めた生産者責任、生産者を監督する中央・地方政府の権限が盛り込まれた。開発権の付与から環境対策にいたるまで、政府の資源管理ガバナンスはますます重要になっている。

そして工業は、脱工業化の傾向は認められるものの、投資動向からみる限り、いまだに成長エンジンの一翼を担っている分野である。

そこでカギを握るのは、外資の活用である。日本をはじめとする外資は、重工業投資とASEAN域内機械産業貿易に主要な役割を担っている。外国投資は、技術の導入、人材の質的向上、生産効率や物流の改善などを通じて全要素生産性の向上に貢献する可能性が大きい。

外資は内資を圧迫するのではなく、双方の相互補完性を活かすという視点にたって、外国投資の振興、そのための投資環境の改善を続けることが大切だろう。

投資環境の改善

そこで最後に、投資環境の改善政策に触れておこう。インドネシアで「投資環境の改善」の必要性が叫ばれてから、実はすでに久しい。アジア通貨危機以来低迷したままの投資を回復させるには投資環境の改善が必須だ、という認識が産業界で高まったのが始まりだった。メガワティ政権期にKADINや、日本のJJC(ジャカルタ・ジャパン・クラブ)をはじめとする外国経済団体が政府に対する政策提言活動を開始し、ユドヨノ政権期にも続けられてきた。

近年の主な進捗《しんちょく》を振り返ると、投資制度については、国内投資法と外国投資法を一本化し、外資の内国民待遇を定めた新投資法が二〇〇七年に制定された。この法律で、土地事業権が三五年から九五年に延長された。一六省庁にまたがる投資許可手続きを投資調整庁(BKPM)一ヵ所で済ませられるワンストップ・サービスが動き始めた。企業の登記手続きがオンライン化され、所要日数が約三分の一の四七日(二〇一〇年)に短縮された。

租税・関税制度では、法人実効税率が三五%(二〇〇七年)から二五%(二〇一〇年)へと四年連続で引き下げられ、三〇%のタイ、フィリピン、二五%の中国、マレーシア、ベトナムと競争できる水準になった。通関業務が簡素化され、輸出入にかかる所要日数が短縮された。

中央政府（内務省）は、地方分権化後に州・県・市政府が出した九四〇〇の条例を調査し、不当な税金・徴収金などを課すものと判断した二二八五の条例を廃止した。

インドネシアの投資環境に対する国際的評価はどうだろうか。世界経済フォーラムのグローバル競争力指数では、インドネシアは一四二ヵ国中四六位（二〇一一年）である。過去四年間に南アフリカとインドを抜き、タイに近づいた。マクロ経済環境と市場規模は高く評価されているが、インフラ、労働市場の効率性、技術力の評価は低い。

諸手続きにかかる時間やコストをみた世界銀行のDoing Businessでは、インドネシアは一八三ヵ国中一二一位（二〇一一年）で、タイ、マレーシア、ベトナム、中国より順位が低い。だが、二〇〇七年の一三五位からは順位を上げ、停滞または下がりぎみのインド、ブラジル、フィリピンとは順位が逆転した。

政府は政策努力を重ねてはいるが、解決すべき課題は多い。租税・関税制度の改善は道半ばだし、第2章で述べた労働法の改正による労働市場の柔軟化もまだ宿題になっている。インフラ投資のための制度整備では、土地収用の問題が残っている。産業界は、政府の全面的な責任で用地を確保するよう求め、一方の政府は民間にも分担を求めている。公益目的とはいえ、スハルト時代を思い起こさせるような強制的な土地収用には国会や世論が反対する。適正な補償制度をもって早期に用地を確保するための土地収用法は、二〇一一年現在、国会で審議が続いている。

外国企業の視点から投資環境リスクと映るのは、法制度の不確実性である。インドネシアの法令は、法律、政令、大統領令、大臣令などと階層構造になっていて、政令や大臣令は頻繁に発布される。このため、行政窓口での理解が一様でなかったり、法の運用にばらつきがあったりすることが珍しくない。企業にとって予期せぬ問題が持ち上がるのも、不確実な法制度に由来することが多い。

法の運用に裁量の余地があると、汚職リスクが生じる。ユドヨノ政権が始めた汚職撲滅運動によって税務署や税関での「袖《そで》の下」慣行は改善されているとはいえ、次に紹介するように、汚職の根は深い。

第5章

経済テクノクラート

経済の治療師から改革の旗手へ

経済テクノクラートの「元祖」ウィジョヨ・ニティサストロ博士（左／*Tributes for Widjojo Nitisastro by Friends* より）と「末裔」の代表格スリ・ムルヤニ・インドラワティ女史

1　バークレー・マフィアの末裔たち

財政健全化の優等生

グローバル金融危機後、インドネシア経済の有望性にいち早く注目したモルガン・スタンレー証券のレポート「BRICストーリーにもう一つ〝I〟を加えるか」は、インドネシアを有望とみる理由の一つに「資本コストの構造的低下」を挙げている。

簡単にいえば、企業がより有利な条件で資金を調達できるようになった、ということである。なぜそうなったかというと、国家財政のバランス・シートが改善してマクロ経済の安定度が増したことが大きいという。

対外債務に国内債務（国債）を足したインドネシア政府の総債務は一九九七年のアジア通貨危機後に跳ね上がり、二〇〇〇年にGDP比で一〇〇％を超えた（図5－1）。国家財政の「メルトダウン（熔解《ようかい》）」が危惧され、IMF、世界銀行、そして日本政府からも専門家や有識者が盛んにジャカルタにアドバイスに出向いた。

しかし、図から明らかなように、その後のインドネシアの財政は劇的に改善している。ユドヨノ政権が発足した二〇〇四年には、政府債務の対GDP比率は五四％にほぼ半減し、現在では二〇%台まで低下した。財政の健全性においてインドネシアは、アジア主要国だけでなく先進国と比べても「極めて優秀」とＩＭＦが賛辞を贈るまでになった。日本が二三四%（二〇一一年、ＩＭＦ推計）に達する勢いで独り過重債務の道を突き進んでいる姿とは正反対といっていい。

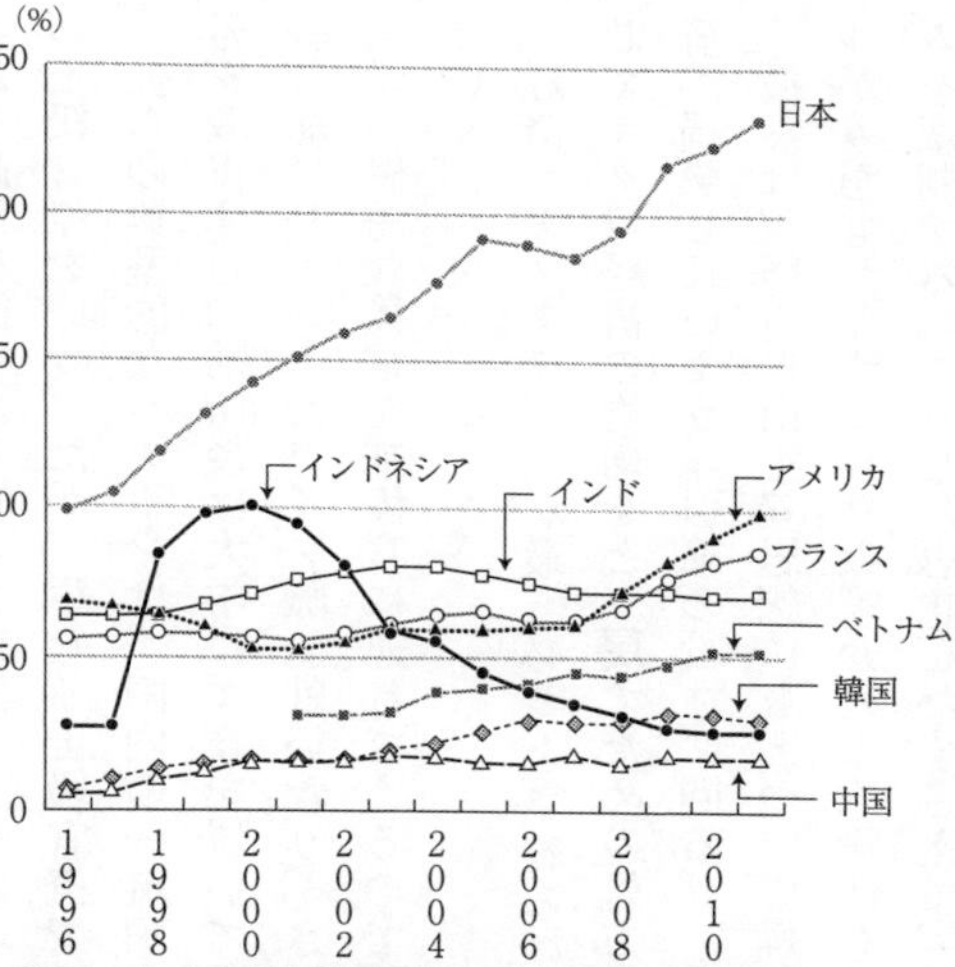

図５－１　政府債務の対 GDP 比率の国際比較

（出所）IMF, *World Economic Outlook Database*、インドネシア銀行統計

　インドネシア財政の健全化は、「外国援助への安易な依存から脱却すべし」とするスハルト後の各政権の政治的意志の表れであることは前章で指摘した。だが、政治的意志だけでは充分でない。それを具体的な政策に翻訳して着実に財政健全化に導いたのが経済テクノクラートたちであった。

　日本や欧米先進国で普通「テクノクラート」というと技術部門の上級官僚のことを指す。高度な科学技術の専門知識をもって政策の立案や運営にたずさわる政策集団である。ところがインドネシアでは、「テクノクラート」といえば経済部門の上級官僚をいう。だが、単なる上級官僚ではない。

彼らの典型的なパターンは、国内の一流国立大学から欧米の大学院に留学し、経済学博士号を取得する。帰国後は大学に本籍を置いて教鞭《きょうべん》をとりつつ、大臣の補佐官になったり、局長、総局長といったライン職に就いたり、さらには大臣に登用されたりする。大臣になると、大学の優秀な後輩を補佐官に連れてくるので、経済各省に経済テクノクラートが再生産されていく。

経済テクノクラートが最も必要とされるのは、経済危機や不況の時である。「治療師」としてマクロ経済の均衡をとり戻すための処方箋を書き、実行に移す。一方、好況時には、経済が過熱しないよう「引締め役」に回る。

彼らは、経済自由主義思想にもとづいて規制の緩和、貿易・投資の自由化を説く。市場にゆがみをもたらすような政策介入の危険性を訴える。保護主義に対抗し、経済ナショナリズムを牽制する。こうした思想をたずさえて、行政官、大学教員としてだけではなく、しばしば新聞のコラムニスト、テレビのコメンテーターとしても論陣を張る。

バークレー・マフィア

現在、副大統領府、経済調整大臣府、大蔵省、国家開発企画庁（バペナス）、中央銀行などの官庁で活躍する一群の経済テクノクラートは、スハルト体制が後世に残した遺産といっていい。というのも、彼らのルーツをたどると、スハルトが実権掌握から半年後の一九六六年九月に顧問に起用した五人の経済学者に行きつくからである。

当時スハルトは、財政赤字、重債務、ハイパーインフレで破綻に瀕した経済を一刻も早く建て直さなければならないと考えていた。だが、経済学の素養はない。そこで、当時インドネシアにまだ数えるほどしかいなかった経済学博士を陸軍指揮幕僚学校（SESKOAD）のセミナーに招いて処方箋を講じてもらい、早速その翌月、経済顧問に起用したのだった。

五人の経済顧問のうち、ウィジョヨ・ニティサストロ、アリ・ワルダナ、エミル・サリムの三人は、フォード財団の助成プログラムでインドネシア大学から米カリフォルニア大学バークレー校に留学し、経済学博士号を取得していた。より年長のスブロトとモハマド・サドリは、インドネシア大学の経済学博士である。だが、その前にスブロトはカナダのマギル大学に学び、サドリは米MIT（マサチューセッツ工科大学）で工学修士号を取得した後、経済学に転向してバークレー校に学んでいた。スハルトは一九六〇年にSESKOADに在籍した際、バークレーから帰ったサドリに直接教わったことがあった。

彼ら五人は単なる顧問ではなかった。まずは経済の「治療師」だった。たとえば、ワルダナは、悪性インフレと財政赤字を断ち切るための「均衡財政原則」、すなわち、政府の歳入分しか歳出を認めず、政府の中央銀行からの借入れを認めない政策を導入した。「均衡財政原則」はワルダナの博士論文のテーマだった。

彼らは同時に、資本主義自由開放経済の「設計者」だった。サドリは、外資排除から外資自由化へと一八〇度方針を転換した一九六七年外国投資法を起草した。ワルダナは、幾重にもヤミ為替レートがあった当時、思い切った為替管理の完全自由化を発案した。スハルトが閣内の反対論をおさえて実行を決め、ワルダナに実施を任せた。

彼らはまた、開発政策を立案し実施する「行政官」であった。五人ともそれぞれに閣僚を歴任した。サドリは外国投資、労働、鉱業分野を、スブロトは中小企業、移住政策、鉱業分野を順に担当した。エミル・サリムは環境政策、アリ・ワルダナは財政・金融政策を一貫して担当した。そしてウィジョヨは、スハルト体制下の「開発」の司令塔たる国家開発企画庁(バペナス)の長として、短期・長期の開発政策の立案、開発予算の配分、実施を担った。

彼らは「経済外交官」でもあった。インドネシアが国連からもIMF、世界銀行からも脱退していた一九六六年当時、ウィジョヨはラフマット・サレー(後に中央銀行総裁)とともに政府債務の繰り延べ交渉、西側諸国からの新規借入れ交渉に奔走し、これを成功させた。

西側ドナーと個々に協議するよりもフォーラムの場があった方がいい、と発案したのはウィジョヨだった。そこで、IGGI（インドネシア援助国会議。一九九二年に議長がオランダから世界銀行に替わりCGI〈インドネシア支援国会合〉と改称）が一九六八年に発足した。アメリカ高等教育でつくられた頭脳、新古典派経済学という共通の言葉をもっていたからこそ、彼らは西側先進国や国際金融機関と渡り合うことができた。

五人のなかで開発全般を視野におさめるリーダー格だったウィジョヨは、経済テクノクラートの「元祖」とみなされている。バペナスは、ウィジョヨの薫陶を受けた経済テクノクラートの再生産拠点となり、市場メカニズムと経済自由主義を重んじる思想は「ウィジョヨノミクス」と呼ばれるようになった。だが実は、ウィジョヨは自由主義一辺倒ではない。教育・保健分野などの社会開発における政府の役割を重視し、村落開発政策を推進したのもウィジョヨだった。

一九八三年にバペナス長官を退いた後も、ウィジョヨはスハルト体制期を通じて経済顧問格にあった。アブドゥルラフマン・ワヒド政権期には、パリクラブでの政府債務繰り延べ交渉団を率いた。実に二〇〇八年にいたるまで、官庁の奥にはウィジョヨ専用の特別室がしつらえてあった。サドリはメガワティ政権で、エミル・サリムはユドヨノ政権で大統領顧問を務めている。彼らの「顧問」業はほとんど生涯にわたったのである。

彼ら五人、とくに三人のバークレー校経済学博士を指して「バークレー・マフィア」と呼んだのは、アメリカの新左翼系活動家デイヴィッド・ランソムである。一九七〇年の雑誌記事でランソムはこう主張した。共産主義に傾いたスカルノ体制の打倒はアメリカ（CIA）の計画であり、スハルト将軍が共産党分子を殲滅し速やかに資本主義の礎を築いた裏には、アメリカが教育をほどこした「バークレー・マフィア」の存在があった、と。

「バークレー・マフィア」の語はその後、経済運営に隠然たる影響力をおよぼす一群の経済テクノクラートというイメージでもって広く使われるようになっていった。ランソムの趣旨は薄れたが、現在でも経済テクノクラートを「アメリカの手先」とみる見方が一部に根強いことも事実である。

経済テクノクラート「冬の時代」

スハルト政権は経済テクノクラートを重用し、表5－1にみるとおり、一九九三年までは経済調整大臣、大蔵大臣、バペナス長官（兼国家開発計画担当国務大臣）の三ポストとも経済テクノクラートにゆだねていた。経済の「治療師」である彼らは、石油ブーム後に不況に陥った一九八〇年代、「構造調整政策」と呼ばれる世界銀行の処方箋にしたがって、第4章でみたような産油国からの脱皮、新興工業国への転換を成功させた。

一九九七年にアジア通貨危機がインドネシアに波及すると、再び「治療師」として彼らは

大統領名	在任期間	閣僚名	出自	卒業大学（学士）	博士号取得大学
【経済調整大臣】			○＝経済テクノクラート		
スハルト	1973-83	ウィジョヨ・ニティサストロ	○	国内*	米国**
	1983-88	アリ・ワルダナ	○	国内*	米国**
	1988-93	ラディウス・プラウィロ	○	国内*	―
	1993-98	サレー・アフィフ	○	国内*	米国
スハルト／ハビビ	1998-99	ギナンジャール・カルタサスミタ	技術テクノローグ	日本	―
A．ワヒド	1999-00	クウィック・キアンギー	経済評論家	蘭	―
	2000-01	リザル・ラムリ	エコノミスト	国内	米国
	2001-01	ブルハヌディン・アブドゥラー	中銀官僚	国内	―
メガワティ	2001-04	ドロジャトゥン・クンチョロヤクティ	○	国内*	米国**
ユドヨノ	2004-05	アブリザル・バクリ	企業家	国内	―
	2005-08	ブディオノ	○	豪	米国
	2008-09	(代行)スリ・ムルヤニ・インドラワティ	○	国内*	米国
	2009-	ハッタ・ラジャサ	政党政治家	国内	―
【大蔵大臣】					
スハルト	1968-83	アリ・ワルダナ	○	国内*	米国**
	1983-88	ラディウス・プラウィロ	○	国内*	―
	1988-93	J．B．スマルリン	○	国内*	米国**
	1993-98	マルイ・ムハマド	大蔵官僚	国内	国内
	1998-98	フアド・バワジル	大蔵官僚	国内	米国
ハビビ	1998-99	バンバン・スビアント	○	国内	ベルギー
A．ワヒド	1999-00	バンバン・スディブヨ	政党エコノミスト	国内	米国
	2000-01	プリヤディ・プラプトスハルジョ	国営銀行	国内	―
	2001-01	リザル・ラムリ	エコノミスト	国内	米国
メガワティ	2001-04	ブディオノ	○	豪	米国
ユドヨノ	2004-05	ユスフ・アンワル	大蔵官僚	国内	国内
	2005-10	スリ・ムルヤニ・インドラワティ	○	国内*	米国
	2010-	アグス・マルトワルドヨ	国営銀行	国内*	―
【国家開発企画庁（バペナス）長官　兼　国家開発計画担当国務大臣】					
スハルト	1968-83	ウィジョヨ・ニティサストロ	○	国内*	米国**
	1983-88	J．B．スマルリン	○	国内*	米国**
	1988-93	サレー・アフィフ	○	国内*	米国
	1993-98	ギナンジャール・カルタサスミタ	技術テクノローグ	日本	―
ハビビ	1998-99	ブディオノ	○	豪	米国
メガワティ	2001-04	クウィック・キアンギー	経済評論家	蘭	―
ユドヨノ	2004-05	スリ・ムルヤニ・インドラワティ	○	国内*	米国
	2005-09	パスカ・スゼッタ	政党政治家	国内	―
	2009-	アルミダ・アリシャバナ	○	国内*	米国

表5－1　経済閣僚主要3ポストにおける経済テクノクラート

（注）＊はインドネシア大学　＊＊はカリフォルニア大学バークレー校

（出所）アジア経済研究所『アジア動向年報』各年版ほかより作成

経済を引締めにかかった。だが、一九八〇年代と違ったのは、引締めの主な対象が政府プロジェクトではなく民間部門だったことである。しかもその中核には、スハルトの子供世代のビジネスがあった。通貨危機を乗り切るには市場のゆがみの元凶たるKKN（癒着、汚職、身内びいき）に改革のメスを入れるしかない。そう考えた経済テクノクラートは、その後ろ盾としてIMFから支援をとりつけた。

これを境に、スハルト大統領対IMF＝経済テクノクラートという構図ができ、対立は時を追って深まっていった。スハルトは一九九八年三月に組閣した第七次内閣で、ついに初めて経済テクノクラートを完全に排除した。

だが、その二ヵ月後にスハルト政権は瓦解し、経済テクノクラートはすぐにハビビ政権下で大蔵大臣とバペナス長官ポストに復帰した。市場重視の経済テクノクラートとしばしば対立してきたハビビだったが、ここではIMFとの関係改善を優先したのだった。

ところが、自由な議会選挙で選出されたアブドゥルラフマン・ワヒド大統領の時代こそが、本格的な経済テクノクラート「冬の時代」となった。ワヒド大統領の意図はこうだった。第一に、インドネシアは、外国援助に依存した財政、IMFや世界銀行に指南され続ける政策形成のあり方から自立すべきである、と。まさしく外国ドナー、IMF・世銀とのパイプ役だった経済テクノクラートが内閣から排除されるのは当然の帰結だった。米ボストン大学の経済学博士だがＩＭＦ・世銀に批判的な在野のエコノミスト、リザル・ラムリが経済調整大臣、大蔵大臣に起用された。

第二に、スハルト体制の「開発」行政の要にあって外国援助を差配し、開発予算を配分してきたバペナスを、その名のとおり開発「企画」機能だけに縮小すべきだ、とワヒドは考えた。バペナスの開発予算権限は大蔵省に移管された。バペナスは大臣級機関から一政府機関へと降格された。つまり、ウィジョヨ初代長官時代から続いてきた、バペナス長官が国家開発計画担当国務大臣として入閣するという図式は廃止された。

ワヒドの「改革」はすなわち、スハルト体制の「開発」行政の骨組みを変えようとするものだった。

実際、ワヒド政権以降、外国援助はインドネシア財政において補助的位置づけとなり、その結果、すでにみたとおり政府債務比率は低下していった。経済調整大臣府は、バペナスが事実上肩代わりしてきた経済政策「調整」機能をもち始めた。大蔵省は、全予算権限を握って本来の主計機能をもつようになった。バペナスの相対的地位は低下した。だが、開発政策企画の主管ではあり続け、次のメガワティ政権で大臣級機関に復帰した。

「冬の時代」を経て、経済テクノクラートにいくつかの変化が生じた。外国援助の導入役という彼らの立場は、外国援助を是々非々で議論する中立的な立場に修正された。バペナスは経済テクノクラートの牙城《がじょう》ではなくなり、経済調整大臣府と大蔵省にも彼らは分散した。ユドヨノ政権期には、表5－1に掲げた三つのポストに企業家出身政治家、政党政治家、銀行家なども就くようになり、経済テクノクラートの位置づけは相対化された。

経済テクノクラートはもはや、かつて「マフィア」と呼ばれたある種特権的な専門家集団ではなくなった。ただ、それでもなお、海外の投資家は「バークレー・マフィア」の子や孫の世代が経済閣僚のポストに任命されるかどうかを組閣のたびに注視する。経済テクノクラートの存在は、インドネシアのマクロ経済運営の信頼性を担保する指標であり続けている。閣僚の出自が多様化したがゆえに、経済テクノクラートの存在価値が逆に高まった面もある。彼らは、民主政治における政党の利害からも、ビジネスの利害からも自由だからだ。国際派の学者である彼らに、汚職で儲《もう》けようとする者は少ない。そこで、経済テクノクラートたちは、ユドヨノ政権のもとで汚職撲滅改革の旗手として浮上したのであった。

では、「バークレー・マフィア」の末裔《まつえい》たちの今を、財政と金融の二つの面でみてみよう。

2　財政改革から官僚体制改革へ

燃料補助金カットの舞台裏で

ハティブ・バスリ。一九六五年生まれ。「バークレー・マフィア」の孫世代では最も将来を嘱望される経済テクノクラートの一人である。

彼は、インドネシア大学経済学部の出身である。

「バークレー・マフィア」の孫世代の一人、ハティブ・バスリ

経済テクノクラートの出身である。「元祖」ウィジョヨ以来、この大学は経済テクノクラートの出身校、在籍校としていまだに圧倒的な存在感を誇る（前掲表5－1）。

経済学博士号はオーストラリア国立大学で取得した。キャンベラにあるこの大学は、アメリカのコーネル大学と並ぶ、いや今やそれ以上に、インドネシア研究のメッカになっている。そこで長年インドネシア研究プロジェクトの長を務めるハル・ヒル教授に師事した。宗教画に描かれるキリストそっくりの風貌で慈愛あふれる笑みをたやさないハル・ヒル教授だが、こと研究になるとなかなか学生に合格点を出さない。その教授が太鼓判を押した、というので有名になったのが、このハティブ・バスリである。

二〇〇五年、彼は経済調整大臣アブリザル・バクリの補佐官という立場にいた。ユドヨノ政権第一期の内閣で、初入閣にして経済調整大臣の重職を射とめたのが、企業家出身の政治家アブリザルという異例づくしだったので、ハティブ・バスリのような有能な経済テクノクラートが知恵袋として呼ばれたのである。

ハティブ・バスリはこの年、政府と大統領に大幅な石油燃料値上げを決断させる、という課題に直面していた。

インドネシアの歴代政権にとって、燃料値上げは鬼門である。そもそもスハルト政権崩壊の引き金になったのも、燃料値上げに反発した地方暴動だった。スハルト政権は結局値上げを撤回した。メガワティ政権も値上げを試みてデモに遭い、撤回を余儀なくされていた。単なる経済問題ではない。政権をかけるほどリスクの高いイシューなのである。

二〇〇五年のインドネシア財政は危機にあった。原因は、年初来の国際原油価格の急騰である。なぜ産油国のインドネシアが危機なのか。それは、インドネシアが石油燃料の大消費国になった後も依然として補助金によって燃料価格を低く抑えているからである。国際価格が上がれば内外価格差が開き、それを埋める補助金は膨張する。

政府は、この年の予算を一バレル＝二四ドルと仮定して組んでいた。国際原油価格がこの前提価格より一ドル上がるごとに補助金は四兆ルピア（約四五〇億円）膨らみ、石油ガス歳入の増加分を上回って財政赤字が約一兆ルピアずつ拡大する。

国際原油価格が四〇ドルを超えた二〇〇五年三月、ユドヨノ政権は二九％の燃料値上げに踏み切った。国民の抵抗を和らげるため、庶民が日々の煮炊きに使う灯油の価格は据え置かれた。大統領は「年内に再値上げはしない」と約束した。ところが、国際価格の上昇は勢いを増し、八月には六〇ドルを超えた。財政危機を懸念した国際市場でルピアが九％も急落した。「通貨危機の再来か」との動揺が国内に走った。

ハティブ・バスリたちは、三月の値上げ直後から、もっと本格的な再値上げを決断するよう大統領を説得にかかっていた。そのロジックはこうである。

燃料補助金は、潤沢《じゅんたく》な石油輸出収入が国庫に入った時代に、スハルト体制が用いた社会安定化のツールだった。時代は変わった。現在、燃料は低価格であるほど過剰に消費される。しかも、補助金の約八割が社会の中上層に享受されている。重要なことは、燃料価格を国際価格に近づけて適正な消費を促すこと、ばらまきに等しい燃料補助金ではなく貧困層にターゲットを絞った現金給付や教育・保健投資に国家資金を振り向けることである。それこそが、貧困削減という我が政権の目標にかなっている。

ユドヨノ大統領はぎりぎりまで再値上げに慎重な姿勢をとり続けたが、最終的に値上げ決定書にサインした。「何ヵ月も熟考し、瞑想し、神に祈り続けた末に、私は一つの決断を得た。この国のために、すべての皆のために、我々の将来のために」。ユドヨノはこう説いて、国民に理解を求めた。

二〇〇五年一〇月一日、一〇八％という史上最大幅の燃料値上げが断行された。一六〇兆ルピアに膨らむ勢いだった燃料補助金は八九兆ルピア（約一兆円）に抑えられ、財政危機は回避された。値上げ反対デモは数日続いたが、騒乱には発展しなかった。

インドネシアはこの時、大きな関門を一つ乗り越えた。差し迫った財政危機を回避して、マクロ経済の安定をとり戻したというだけではない。短期的な国民の抵抗が強すぎて歴代政権が踏み込めなかった中長期的な財政の構造改革に、一歩を踏み出すことができたからである。

国民的支持を得たユドヨノ政権であればこそ、なし得た政治決断であった。その苦渋の決断へと、大統領の背中を強力に押し続けたのが、ハティブ・バスリら経済テクノクラートたちだった。

その後も政府は、国際原油価格の上昇に応じて二〇〇八年にも燃料値上げを行い、二〇一二年には普通車用ガソリンの補助金を全廃しようとしている。燃料補助金の全面廃止を目指した経済テクノクラートの闘いは今も続く。

スリ・ムルヤニの登場

二〇〇五年一〇月の燃料大幅値上げは、その衝撃を和らげるための二つの代償策と抱き合わせで実施された。一つは、産業界に向けたコスト削減策である。燃料費や輸送費が上がる代わり、港湾のコンテナ荷役料を引き下げたり、州境にある重量計測所（という名の通行料徴収所）を一部廃止したりする物流コストの削減が主な狙いで、経済調整大臣府がこれを準備した。

もう一つは、貧困世帯に対する月一〇万ルピアの補償金支給策である。補償金を支給するには、全国一五五〇万の貧困世帯を特定して事前に受給カードを配布しなければならない。これだけでもうまく進まないのに、現金支給策を聞きつけてさらに四二〇万世帯が「うちも貧困です」と申し出てきた。混乱にいよいよ拍車がかかった。

主管であるはずの国民福祉調整大臣府、サポート役の経済調整大臣府のもたつきに、政治リスクを負わなければならない大統領は激怒したと伝えられる。急遽、仕切り役に任ぜられたのがバペナスであった。

この時、バペナス長官として事態を収拾したのがスリ・ムルヤニ・インドラワティ。一九六二年生まれ。米イリノイ大学で財政学を専攻し博士号を取得した。ハティブ・バスリとは同じ大学の姉貴分にあたる。

彼女は、ユドヨノ第一期政権で初入閣した。向こう五年の中期開発計画をまとめているさなかに、スマトラ島沖大地震・津波が発生した。未曽有の大災害に対する外国支援の窓口となったバペナスで救援対策を指揮していたところに、息つく間もなく燃料値上げ補償金問題が降りかかってきた。分刻みの会議をこなし、会議の終わりに結論をまとめ、期限から逆算してスケジュールを決め、部下に指示を出す。彼女は傑出した行政能力を現し始めた。

補償金支給策の責任を問われて、二〇〇五年末、国民福祉調整大臣は更迭《こうてつ》、経済調整大臣アブリザル・バクリは国民福祉調整大臣に異動させられた。バペナス長官、大蔵大臣を歴任しているブディオノ（二〇〇九年より副大統領）が後任の経済調整大臣に起用され、スリ・ムルヤニは大蔵大臣に抜擢された。経済運営の要となった二ポストに、再び経済テクノクラートが戻ってきた。

スリ・ムルヤニはその後二〇一〇年にいたる四年半の大蔵大臣在任中に、スイス『ユーロマネー』誌の「本年の財務大臣」に二度選ばれ、英『エマージング・マーケッツ』誌の「アジア最高の財務大臣」にも選ばれている。彼女の業績として挙げられているのは、成長の加速、インフレの抑制、外貨準備の拡大、政府債務の圧縮、国債の格付け改善、インフラ投資制度の整備などだが、とりわけ注目されたのが、汚職との闘いだった。

ユドヨノ大統領が彼女の剛健果断な仕事ぶりを見込んで期待したのも、まさにこの点であった。大蔵省、なかでも租税総局と関税総局は、省庁の汚職改革の本丸とみられていた。インドネシア語でいう「バサ（basah）＝ぬれた」、つまり最も実入りの多い「おいしい」部署というわけだ。

官僚体制改革に挑む

スリ・ムルヤニは、蔵相就任から三ヵ月後、歴代生え抜きで占められてきた租税と関税の二つの総局長ポストに初めて経済テクノクラートを起用した。租税総局長はダルミン・ナスティオン（二〇一〇年より中央銀行総裁）、関税総局長はアンワル・スプリアディ（前職は政府直営から公社化されたインドネシア国鉄の初代社長）。ダルミンは、大蔵省下の資本市場・非銀行金融機関監督庁長官からの異動だった。後任の同長官にはフアド・ラフマニ（二〇一一年より租税総局長）をあてた。スリ・ムルヤニにとっては、三人ともインドネシア大学経済学部の先輩にあたる。ちなみに、後輩のハティブ・バスリはスリ・ムルヤニと同時に大蔵省に移っており、大臣補佐官として大臣在任期間を通じて彼女を支えることになる。

人事刷新の翌月の二〇〇六年五月、スリ・ムルヤニは二人の総局長とともに租税・関税実績向上チームを立ち上げた。彼女の「官僚体制改革（bureaucracy reform）」のスタートである。チームの公式の目的は租税・関税の増収にある。だが、その目的を「正しく」達成するためには総合的な改革が必要になる。組織の改編・近代化、業務の効率化・電子化、サービスの質の向上、それを支える誠実さ（integrity）とプロ意識（professionalism）の醸成、つまりは官僚たちの勤労倫理が刷新されなければならない。

核心は汚職の撲滅にあるが、それは特定一部の不届き者を排除すればすむような生やさしい話ではない。一〇〇人いれば九九人までが、自分のもつ権限（レント）を最大限に発揮して取れるだけのものを取り、国庫に納める分と自分たちでプールする分、とくに後者を最大化するように努め、それを部下・同僚の間で配分するのが福利厚生にかなうと長年信じてきた人々の集まりである。いわば会員限定の共済組合といった発想なのだ。基本給が低い一方で、大きな権限を与えられれば、起こってもおかしくない現象である。

したがって、「不正」という意識はまるでない。それを、ある日突然「あなたたちの行為は犯罪です」といわれても「ああそうですか」といって翌日から組織ごと変われるわけもない。「分配金」を織り込んで成り立ってきた生計も危うくなる。

こうした組織の長となったスリ・ムルヤニが実行した改革の第一は、「正しい」サービスを提供するモデル部署を速成することである。新しい人材を採用し、相対的に高い給与を支払い、プロ意識と「改革の先兵」意識をたたき込んでこれを成功させた。租税総局では、アジア通貨危機後のＩＭＦ勧告の一環で二〇〇二年に大納税者専用税務署（LTO：large tax office）が導入されており、これを拡充した。LTOの本格稼働後、税務署に対する外資系企業の評価は改善されている。関税総局でも二〇〇七年、同じやり方で新しいモデル通関所（KPU）をジャカルタのタンジュンプリオク港に開設した。

改革の第二は、社会からの監視の目を利用することである。「もし逸脱行為を見かけたり、被害に遭ったり、誘われたりしたら、すぐに連絡を」「クリーンな税務署になるよう皆さんのご支援を」という看板を掲げ、税務苦情センターを二〇〇八年に開設した。以来、年に八〇〇〇件近い苦情が電話、ファックス、メールや手紙で寄せられている。内容は、法規則の不整合、税務署員の不正行為、税務サービスの悪さから、脱税の疑いのある個人・企業情報にまでおよぶ。

第三は、既存の人材に対する改革である。省内の士気を鼓舞しながら、汚職を産まない土壌に変えていくことは容易ではない。スリ・ムルヤニ蔵相は、二〇〇六年のうちに総局・局を再編成し、結果として局長ポストを増やした。さらに大蔵省の給与水準を底上げした。こうして待遇を改善する代わり、パフォーマンスの向上を求めた。

租税総局が目指すのは、税収パフォーマンスの向上である。徴税捕捉率を上げるため、納税広報キャンペーンを打ち、各種行政手続きに納税者番号の提示を義務づけ、期限内に納税すれば過去の遅延課徴金を免除する特例を実施するなどした。同時に、納税者登録や納税申告を簡素化し、オンライン化するなど、サービスを改善した。

その結果、納税者登録数（法人・個人合計）は四二一万（二〇〇五年）から一九九〇万（二〇一〇年）へと五年で五倍近く増え、租税収入も同期間に二九八兆ルピアから五九〇兆ルピアへほぼ倍増した。

関税総局は二〇〇七年、自ら不正行為の実態を明らかにした。最大のタンジュンプリオク港の税関で月平均一三七億ルピア（約一・八億円）の不正徴収があった、との汚職撲滅委員会の内部調査結果を関税総局の報告書で公表した。そして、不正徴収をなくすこと、これまで不正徴収のチャンスにもなっていた密輸を水際で阻止することを、パフォーマンス向上の目標においた。

二〇〇七年以降、港や空港の通関で密輸が頻繁に摘発されるようになった。正規の輸入手続きを経ない携帯電話、衣料品、古着などの物資だけでなく、外国公館用と偽った高級車、国営石油会社プルタミナ製と書かれたガスボンベなどの偽装輸入も発覚した。

大蔵省のウェブサイトには、他省庁に先駆けて「官僚体制改革」専用ページが立ち上がり、省内にも「官僚体制改革」のパイオニアを自任する空気が出てきた。税務苦情センターは、名だたる民間企業がサービスの質を競う全国コンタクトセンター・コンテストに参加し、二〇一〇年から個人部門で複数の入賞者を出すまでになった。

必罰も忘れてはならない。租税総局では、不正・逸脱行為を行ったとして懲戒処分が下った税務署員の数は、二〇〇九年だけで五一六人に達した。関税総局も、汚職撲滅委員会と協力してたびたび税関の抜き打ち査察を行い、そのたびに複数の税関職員が処分の対象になっている。

「改革は、短期的には痛みをともなう。けれど将来必ず見返りがある。痛みなくして見返りなし（No pain, no gain）だ」とスリ・ムルヤニ蔵相は説く。

汚職との闘い、果てしなき道のり

ところが、である。こうした大蔵省改革の努力を一瞬にして台なしにするほどの汚職スキャンダルが二〇一〇年に発覚した。

租税総局不服申立て・訴訟局の職員ガユス・タンブナンが、月給一二万円とは不釣り合いな約一〇億円（一〇〇〇億ルピア）もの蓄財をしていたのである。この蓄財は、省内の監視をすり抜け、マネーロンダリング（資金洗浄）を監視する政府官庁の目にとまって初めて発覚した。ガユスは、二〇〇八年頃から同局に不服申立てのあった一四〇件以上の企業・個人に課税逃れの便宜を図り、見返り資金を受け取っていた。そのなかには、バクリ・グループ傘下の石炭企業からの七〇〇万ドル（約六・六億円）が含まれると、ガユスが法廷で証言している。

このガユス事件が社会にショックを与えたのは、蓄財の額の大きさばかりではなかった。ガユスは資金洗浄と着服の容疑で起訴されたが、一審で無罪となった。だが、その無罪は警察、検察、裁判所に満遍なく贈賄した成果だったことが発覚し、再逮捕された。すると今度は、警察の拘置所や法務人権省の出入国管理局に賄賂を配り、毎週のようにジャカルタの自宅やバリ島、シンガポールやマレーシアにまで出かけていたのである。

ガユスは二〇一一年現在、一審で七年、二審で一〇年の有罪判決を受け（上告中）、警察、検察、裁判所、入管局の収賄者たちも逮捕された。とはいえ、スリ・ムルヤニの改革と同時期に起きていたガユスの汚職は、彼女ら経済テクノクラートたちにとって手痛い打撃となった。

スリ・ムルヤニの後任蔵相であるアグス・マルトワルドヨは、国営マンディリ銀行社長を務めた銀行家だが、ストイックなほどクリーンな人物として知られる。アグス蔵相は、租税総局がもっていた租税規制の策定権限を分離して、裁量のきかない規制実行機能だけに特化させるなど、スリ・ムルヤニから引き継いだ改革を着実に進めている。

3　闘う中央銀行

筋金入りの経済テクノクラート、金融の司令塔へ

インドネシアの中央銀行、インドネシア銀行の現総裁はダルミン・ナスティオン。一九四八年生まれ。現副大統領ブディオノが二〇〇九年大統領選挙に副大統領候補として出馬を決めて中央銀行総裁を辞した後、総裁代行として中央銀行入りし、二〇一〇年に正式に総裁に就任した。

インドネシア大学で社会経済研究所長を務めた後、一九九三年に大臣補佐官として経済調整大臣府に入ったので、経済テクノクラート歴は二〇年近くにおよぶ。二〇〇〇年から大蔵省に移って金融機関総局長を務め、二〇〇六年から租税総局長としてスリ・ムルヤニ蔵相と二人三脚で税務改革を推進した。インドネシアではまだ数人しかいない仏ソルボンヌ大学の経済学博士である。

中銀総裁ポストもまた、スハルト時代から経済テクノクラートの定席であった（表5―2）。だが、先にみた三ポストと違って、歴代総裁はインドネシア大学経済学部から渡米して経済学博士を取得する、というお決まりのコースをたどっていない。博士号取得者も多く

大統領名	在任期間	総裁名	出自	卒業大学(学士)	博士号取得大学
スハルト	1966-73	ラディウス・プラウィロ	○	国内*	—
スハルト	1973-83	ラフマット・サレー	○	国内*	—
スハルト	1983-88	アリフィン・シレガル	○	蘭	西独
スハルト	1988-93	アドリアヌス・モオイ	○	国内	米国
スハルト	1993-98	スドラジャド・ジワンドノ	○	国内	—
スハルト〜メガワティ	1998-03	シャフリル・サビリン	中銀官僚	国内	—
メガワティ	2003-08	ブルハヌディン・アブドゥラー※	中銀官僚	国内	—
ユドヨノ	2008-09	ブディオノ※	○	豪	米国
ユドヨノ	2010-	ダルミン・ナスティオン※	○	国内*	仏

表5－2　中央銀行総裁における経済テクノクラート
（注）○は経済テクノクラート　＊はインドネシア大学　※は大統領と国会による選出。それ以前は大統領による任命
（出所）アジア経済研究所『アジア動向年報』各年版ほかより作成

ない。

これは、一つには留学先で金融学を専攻した者がほとんどいなかったこと、もう一つには中央銀行は後述するように長らく内閣や大蔵省よりも格下の位置づけだったことが影響しているのではないかと考えられる。

成長促進とインフレ抑制のはざまで

中央銀行総裁となったダルミンが今闘っているテーマは、「過熱なき成長の持続」である。インドネシアの経済政策の基本は成長重視、と第4章で紹介した。したがって、金融政策としては、金利を低く維持して銀行与信を拡大させる金融緩和策が基本になる。

だが一方で、インフレと過剰流動性をコントロールして過熱を防がなくては成長の持続はおぼつかな

い。中央銀行は二〇〇五年にインフレ・ターゲティング政策を導入しており、インフレ抑制は一義的な政策目標になっている。すなわち、金利の引き上げではなく、それ以外の手段で適切にインフレを抑制しなければならない。

インフレ懸念は多方面から忍び寄っている。国内要因としては、好景気にともなう需要インフレがあり、天候不順による食料供給インフレ、燃料補助金カットにともなうコスト・インフレの可能性が常にある。食料では、主食のコメ、インドネシア人の日々の食卓にかかせない食用油、トウガラシ、砂糖、ラーメンの原料である小麦粉の価格安定がとくに重要だ。国外要因には、世界的な食糧とエネルギーの需給逼迫《ひっぱく》にともなう国際商品価格の上昇がある。そして、目下の頭痛のタネは、インドネシアが世界から注目されるにつれて流入が急増している海外短期資金である。

インドネシアは従来から「高インフレ・高金利の国」として知られてきた。だが近年は、インフレ、金利ともに「ノーマルな国」に近づいている。図5－2をみると、二〇〇三年以降、インフレ率と政策金利はともに一桁台を基調にするようになった。例外は二〇〇五年と二〇〇八年だが、前者は史上最大幅の燃料値上げ、後者はリーマン・ショック後の金融不安と理由ははっきりしており、しかも一過性の現象だったことがわかる。政策金利であるインドネシア銀行レート（BIレート）は、二〇〇九年から二〇一一年初めまでの一八ヵ月間、史上最低の六・五％に維持された。

注目すべきなのは、政策金利とインフレ率の差が縮んできたこと、つまり実質金利が低下してきたことである。一九九〇〜二〇〇二年の実質金利は平均五・七％（異常事態だった一九九八年を除く）だったのに対して、二〇〇三〜二〇一一年は平均〇・九％へと五ポイント近くも低下している。中央銀行は、実質金利ゼロに近いレベルにまで政策金利を低下させることによって成長重視姿勢をとっているのである。

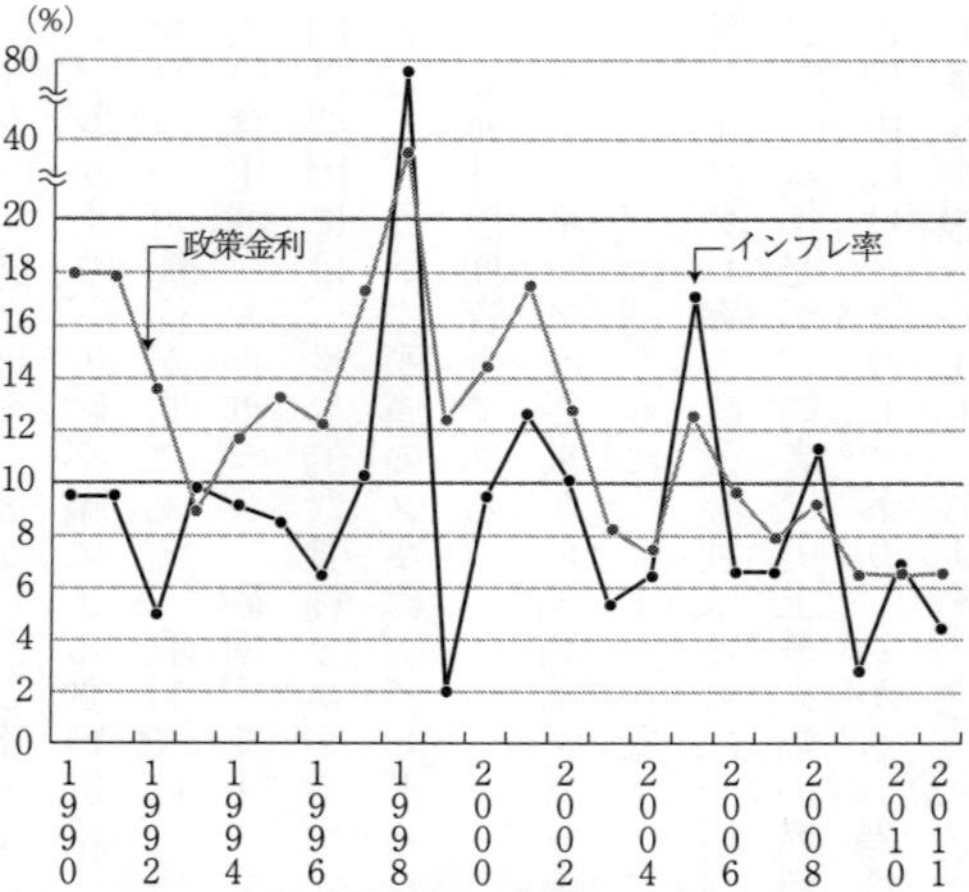

図５－２　インフレ率と政策金利の推移

（注）政策金利はインドネシア銀行証書（SBI）１ヵ月もの金利（1990〜2004年）およびインドネシア銀行レート（2005〜11年）の各年末水準。2011年は10月末現在

（出所）インドネシア銀行統計

こうしたトレンドに加えて、ダルミンが総裁代行に就任以来、中央銀行は積極果敢な「攻めの政策」を次々に打ち出している。

まず、市中金利の引き下げを誘導した。政策金利が史上最低水準に下がったにもかかわらず、市中金利が下がらないことに産業界から不満が出ていた。そこでダルミンは二〇〇九年八月、国営銀行、大手民間銀行、外国銀行を中銀に呼び、翌月から各行の預金金利を政策金利プラス一・五％、三ヵ月後にはプラス〇・五％以下に抑えるように、という行政指導を行った。いわゆる「預金金利キャップ」の導入である。法令によらない行政指導は日本ではよく聞く話だが、インドネシアでは珍しい。歴代中銀総裁も用いなかった手法である。

ダルミンの行政指導は一定の効果をあらわし、商業銀行の平均預金金利（一年）は一一・四％（二〇〇九年六月）から六・九％（二〇一一年八月）に下がり、貸出金利もそれにつれて一四・五％から一二・五％へと低下し始めた。

次に、与信拡大を誘導した。中銀は、銀行の望ましい預貸率（預金に対する貸出の比率）を七八〜一〇〇％に設定した。そして、この範囲から外れる銀行には預金準備率（中銀が商業銀行に預け入れを義務づける預金の比率）を〇・一〜〇・二％上乗せするという一種のペナルティを科す政策を二〇一一年に導入した。預貸率は、アジア通貨危機以降五〇％以下に低迷し、二〇〇八年にようやく七〇％を超えたところだったので、銀行貸出をもっと拡大させることにこの政策の狙いはある。

他方で、インフレと過剰流動性を抑制しなければならない。ダルミン率いるインドネシア銀行は、今のところブラジルのような外国投資家による株式・証券投資への課税こそ避けているものの、多様な手段を繰り出している。

たとえば、預金準備率を一%から段階的に八%へと引き上げて市中銀行の流動性を中銀に吸収している。国内銀行による外貨建て借入れに、各銀行の資本金の三〇%までという上限規制を復活させた。また、海外からの短期的利ざや稼ぎ資金の格好の流入窓口となっていた中銀証書（SBI）の短期取引を停止し、期間を一年ものへと誘導している。

そしてもう一つ、ルピア高傾向を容認している。ルピア高はインフレ抑制の手段としては有効に作用する。「通貨の番人」たる中央銀行だが、ダルミン総裁は、ルピア高が工業製品輸出を阻害する副作用よりもインフレ抑制への効果を重視する姿勢をみせている。

預金準備率の引き上げや銀行の外貨借入規制は、二〇〇八年のリーマン・ショック後に中銀が打った金融緩和策のちょうど逆の措置である。先進国や他の新興国では、グローバル金融危機からの「出口戦略」として政策金利の引き上げをまず行うが、インドネシアの場合は政策金利の引き上げ余地が限られているため、他のあらゆる選択肢を動員しなければならない。

中央銀行の独立性

ダルミン総裁は、インドネシアで中央銀行の独立性が確保されてから数えて三代目の中央銀行総裁である。

中銀総裁は、スハルト時代には大統領が組閣の際に閣僚と同じように任命していたが、現在では大統領と国会とが共同で決定する。より正確には、大統領が一人または複数の候補者を提案し、国会が適性検査を行って候補者一人を選ぶ。あるいは候補者を拒否して、別の候補者を提案するよう大統領に差し戻す権限をもつ。最後に形式的に任命するのは大統領だが、国会のもつ権限は大統領よりも強い。

しかし、解任権は、大統領も国会ももたない。すなわち、いったん総裁に就任すれば、五年間の任期中は行政府からも立法府からも解任という形で政治的介入を受けることはない。そうした身分が法的に保証された。

インドネシアの中央銀行は、一九六八年中央銀行法に代わって一九九九年に新たに制定された中央銀行法のなかで「政府の介入から自由な独立の国家機関」と明確に規定された。アジア通貨危機後にＩＭＦの管理下に入った韓国でも、同じ頃に中央銀行の独立性が確立した。ＩＭＦは、アジア通貨危機で脆弱性が露呈した銀行部門に対する中銀の監督機能を強化するために、各国に「中銀の独立性」の確保を勧告していた。

だが、インドネシアの場合は、ＩＭＦという外圧だけでなく、スハルト体制からの脱却という内的モーメンタムも強く作用していた。スハルト辞任の翌日に組閣を行ったハビビ大統領は、スハルト時代の慣習を踏襲せず、閣僚名簿に中銀総裁を入れなかった。

「金融通貨政策を大統領の影響下から外し、よりプロフェッショナルにした方が、開発の遂行に照らしてより生産的だ、と私は考えた」と、ハビビは後に回顧録のなかで述べている。

その三ヵ月前、当時の中銀総裁スドラジャド・ジワンドノがスハルト大統領に突然解任された。スハルトはルピア暴落を食い止めるためにカレンシー・ボード制と呼ばれる香港型の固定相場制を導入しようとしたが、経済テクノクラートである中銀総裁はスハルト案に抵抗していたのだった。この解任事件は、大統領による中銀への政治介入を国内外に強く印象づけた。

では、中央銀行の独立性が確保された後、何がどう変わったのだろうか。図5－3と図5－4は、スハルト体制期と現在の中央銀行の位置づけを比べたものである。

スハルト体制期には、中央銀行は金融政策にかかわる権限ヒエラルキーの下位に置かれていた。中銀総裁は閣僚と同格ではあるものの、日常的な金融政策は大蔵大臣を委員長とする通貨委員会で決定され、中央銀行はその通貨委員会の監督を受け報告を上げる立場にあった。中央銀行は、市中の商業銀行を指導・監督する役割を担っていたものの、商業銀行の営業許可の取消し権限は大蔵省が握っていた。

つまり中央銀行は、金融政策の策定権はもたず、実施だけを任されていた。さらに、銀行閉鎖・凍結という罰則カードをもたずに、大量に参入してくる銀行の監督責任だけを負わされていた。銀行の健全性監督は二の次で、「開発」という国家目標にしたがって開発資金を

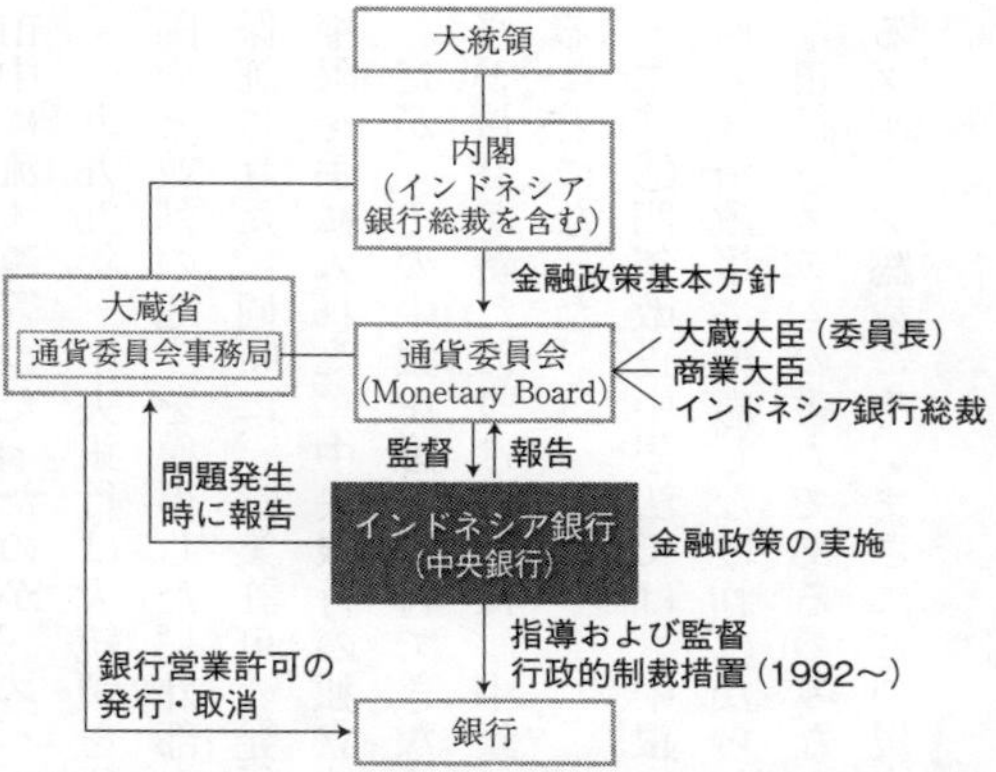

図５－３　スハルト体制期の中央銀行の位置づけと機能
（出所）1968年インドネシア銀行法、Nasution（1983, 64頁）をもとに作成

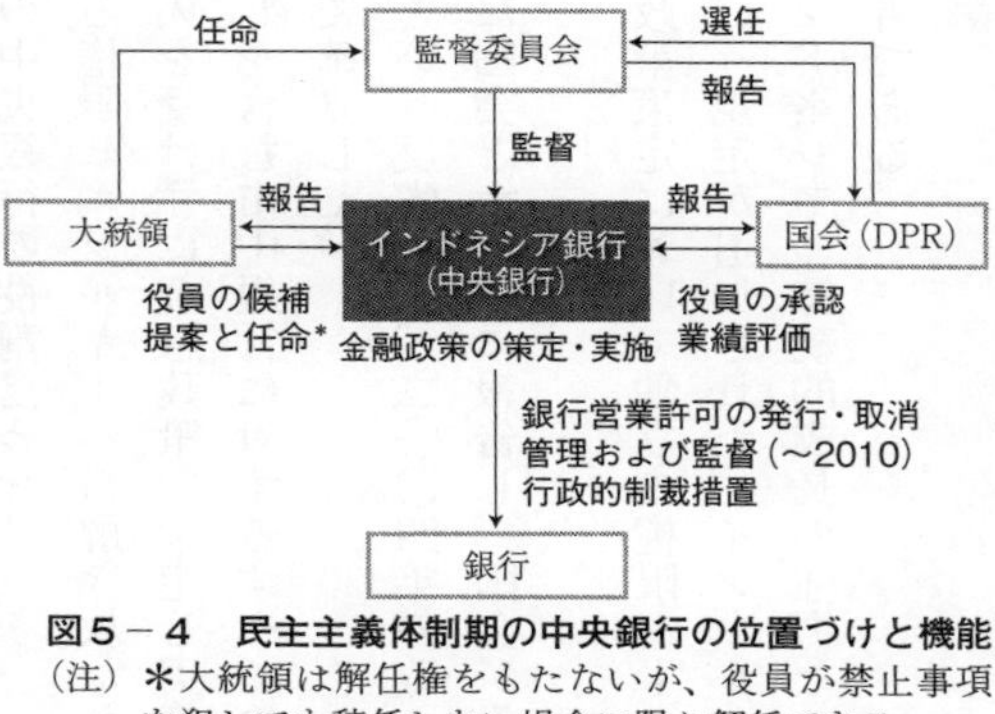

図５－４　民主主義体制期の中央銀行の位置づけと機能
（注）＊大統領は解任権をもたないが、役員が禁止事項を犯しても辞任しない場合に限り解任できる
（出所）1999年インドネシア銀行法、2004年改正法をもとに作成

市中に流す導管役だったのが、スハルト時代の中央銀行の役割だった。

一九九九年、中央銀行は大統領を頂点とする権限ヒエラルキーから解き放たれ、大統領、国会と並列の地位を獲得した。外部からの介入を受けずに金融政策を策定し実施する権限を保証された。同時に、営業許可の発行・取消しを含む市中銀行に対するすべての管理・監督権限を手に入れた。中央銀行の独立性はこれで確立した。

だが、その中銀を誰も監督できなくなったという反省から、二〇〇四年の改正中銀法で監督委員会が新たに設けられた。中銀は定期的に国会と大統領に報告し、国会がそれを評価することになった。

二〇〇四年改正中銀法では、中銀は、金融政策策定において独立の権限をもつ一方で、政府の経済政策に配慮しなければならない、という規定が追加された。インフレと通貨と健全な銀行システムの番人であるのみならず、インドネシアの持続的成長の強力なサポート役たるダルミン総裁こそ、まさにこの規定の実践者である。

第6章

産業人

表舞台に出てきた「ブルジョワジー」

バクリ・グループのアブリザル・バクリ（上／www.icalbakrie.com より）とサリム・グループのアントニー・サリム

1　政治とビジネスの「新・二重機能」

企業家から政治家へ

インドネシアで大統領になるには三つの条件を満たさなければならない、とスハルト時代には信じられていた。三つの条件とは「ジャワ人、イスラム教徒、軍人」である。最初の二つは最大の民族集団と宗教を指している。問題は三つめである。なぜ軍人なのか。

インドネシアの国軍は、国防・治安だけでなく政治・社会統治の機能をも担う。これは「国軍の二重機能」といって、スハルト時代には子供でも知っている世の常識だった。国軍の中で出世することが、すなわち政治エリートへの道だった。

現役軍人のまま大統領になったスハルトが、この「二重機能」ドクトリンを作ったわけではない。インドネシア国軍は、農村社会と一体になってゲリラ戦を闘った対オランダ独立闘争のなかから生まれた。その生い立ちからして国軍は、戦闘状態に備えて社会を管理するという機能をもった存在だったのだ。

国軍は、血筋や経済力によって人生の選択の幅が左右されがちな発展途上社会にあって、有能で勤勉でさえあれば出世の道が開けるほぼ唯一の能力主義組織だった。農民の子に生まれ、家庭環境に恵まれず、中卒の学歴しかもたないスハルトが最高権力者の座にまで登りつめた事実こそが、その証しであった。組織的な鍛錬を継続的に与える人材養成機関としても、国軍は他に類をみない役割を果たしていた。

しかし、時代は変わった。民主化後、建国以来の伝統思想であった「国軍の二重機能」は否定され、国軍は国防機能だけに特化させられた。軍人は、少なくとも現役の間は、政治にいっさい関与できなくなった。内閣に占める国軍出身者の比率は、スハルト時代の平均三三%からスハルト後には平均一三%に低下した。

代わって政治エリートへの道として浮上してきたのが、一つは政党政治家としての出世である。学生運動や社会団体のリーダーから政党入りし、国会運営や内閣で政党政治家として頭角を現す、といった出世コースは、スハルト時代は唯一、与党ゴルカルの中だけに限られていた（当時のゴルカルは正確には政党ではなく「職能団体」だった）。現在の民主主義体制のもとでは、政党政治家として国政の頂点を目指すチャンスはどの政党にも開かれている。

そしてもう一つ、いま注目されているのが「企業家から政治家へ」という道筋である。タイのタクシン首相がこのパターンで国政の頂点に立った。インドネシアでも、その一歩手前という実例が出てきた。ユスフ・カラとアブリザル・バクリである。

ユスフ・カラは、ユドヨノ政権第一期の副大統領（二〇〇四〜〇九年）であり、ゴルカル党首でもあった。二〇〇九年の大統領選挙には、大統領候補として出馬し、ユドヨノに敗北した。

アブリザル・バクリは、カラ副大統領の推挙で二〇〇四年に初入閣し、経済調整大臣、国民福祉調整大臣という重職を歴任した。二〇〇九年のゴルカル党内選挙でカラを破ってゴルカル党首（～二〇一四年）に就いている。そして、二〇一四年大統領選挙への出馬を狙っている。

二人に共通するのは、企業グループを所有経営する有力企業家であり、政界進出後にその企業グループが勢力を増したことである。

企業の資金力を政治家として動員し、同時に政治の権益を企業家として活用する。権力と財力との相乗効果を、企業家兼政治家は一手に握ることができる。実は古くから、企業家が財を成した後に政界入りすることはよくあった。だが、政治家といってもそれはせいぜい政党の幹部とか国会議員どまりだった。政治権力の頂点を目指すまでの動きが出てきたのは民主化後のことである。かつての「国軍の二重機能」になぞらえて、政治とビジネスの「新・二重機能」と呼ばれる所以である。

権力なきブルジョワジー

政治とビジネスの「二重機能」がなぜ新しい現象として注目されるのか。

インドネシアでは、権力と財力の所在が分離しているのがこれまでの基本的な構図であった。これは、たとえば隣国フィリピンと比較してみるとわかりやすい。フィリピンでは、政治権力の背後に富の源泉である大土地所有制があった。大地主層が地方の政治権力を掌握し、さらに中央政界へと進出して、財力に裏打ちされた政治エリートとなるのが代表的な出世街道であった。

これに対して、インドネシアの歴代の政治エリートは、民族運動家、政党政治家、軍人、高級官僚などのどれをとってみても、彼ら自身が富の源泉を有しているわけではなかった。財力のある他者といかにうまく手を結ぶかが、彼らにとって出世のカギになった。

この「財力なき政治エリート」と「権力なきブルジョワジー」との同盟が最も顕著な形で現れたのが、スハルト時代の国軍エリートと華人企業家との関係である。

スハルト時代の前には、持続的に富が蓄積されて国内資本家層が育つ環境がそもそも整っていなかった。金融、貿易、農園、鉱工業といったインドネシア経済の基幹部門は、独立後も引き続き旧宗主国オランダの企業が握っていた。一九五〇年代末にそれらが国有化され、多数の国営企業群が経済の主役になった。中小規模の流通は、多くがまだ外国籍だった華《か》僑《きょう》・華人商人が主に担っていた。

主役の国営企業は、しかし、財政難にあえいでいた。社会主義的閉鎖経済が慢性的な財政赤字と悪性インフレに冒されていたからである。資本主義自由開放経済へと転換したスハルト政権への移行後、マクロ経済はようやく安定し、国営企業のみならず民間にも財力が蓄えられる素地ができたのである。

そこでスハルトがとった戦略は、「開発」を推進するための即戦力として華人を活用することであった。実はこの戦略は、当時の時代背景を考えれば大変なウルトラCだった。当時は「赤狩り」の真っ最中である。スカルノからスハルトへの権力移譲のきっかけになった一九六五年の「九・三〇事件」、すなわち国軍内のインドネシア共産党分子によるクーデター未遂とされる事件の後、スカルノ政権の支柱の一つであった共産党は国軍の指揮のもとで徹底的に粛清され、共産党員とその支持者とされる数十万人が殺害されていた。華人は共産党員としばしば同一視され、政権内でも社会からも敵視されていたからである。折しも一九六六年、中国では文化大革命が起き、中国政府は海外在住の中国人にも革命への参加を呼びかけていた。反共を掲げるスハルト政権は、一刻も早く、中国の影響を遮断する必要があった。

そこで一九六七年、スハルトは「チナ（中国、中国人、華人の総称）問題解決基本政策」を定め、それにもとづいて宗教・文化、政治・社会団体、中国語教育・メディアなどの各側面における華人の活動を厳しく制限した。中国との国交も凍結した。

ところが、経済面では自由を与えたのである。先の「基本政策」は、華人系住民の手にある資産を、国籍のいかんを問わずに「国内資本」として扱うことを定めていた。この「基本政策」によって華人は、経済活動に特化する限り身分の安全と保障を得たのだった。

スハルトは軍人でありながら、ビジネスのセンスがあった。一九五〇年代後半の中ジャワ・ディポヌゴロ師団参謀長、師団長時代に、彼は師団を養うために財団（ヤヤサン）を作り、モハマド・ハサン（通称ボブ・ハサン）やリム・スィウリョンら彼が見込んだ華人商人を用いて密貿易を行った。この副業が国軍上層部で問題になり、師団長解任の憂き目までみている。華人の利用価値の大きさは、彼にとっては実証済みだった。

スハルトの戦略はみごとに功を奏した。華人たちは政府から投資許可、国営銀行融資などを優先的に与えられて貿易・流通だけでなく工業部門にも参入していった。一九七〇年代初めに「チュコン（主公）」と呼ばれる一群の華人政商が台頭し、やがて企業グループをなすものが現れ、一九九〇年頃には「コングロムラット（多角的複合企業体を指すインドネシア語）」と呼ばれるようになっていった。「コングロムラット」は華人系に限らないが、規模が大きいほど華人系の比率は高い。二〇大グループでは売上高の八〇％（一九九六年）を占める一五グループが華人系であった。

華人は政治エリートにとっては決して政治的脅威になることのない実に好都合な同盟者である。華人たちはこうして「権力なきブルジョワジー」（白石隆『インドネシア――国家と政治』一九九二年）として財力の頂点に開花した。

プリブミ企業家を育成せよ

ここですでに読者はお気づきのことと思うが、インドネシアにおける権力と財力との分離は、プリブミと華人とが融合していないこの国の事情に深く関係している。

プリブミというのは、マレーシアのブミプトラと同じく「大地（ブミ）の子」という意味で、先住のマレー系住民を指している。プリブミに含まれない移民には、華人系、インド系、アラブ系がある。インド系は総人口の〇・〇五％ほどの少数派であり、アラブ系はイスラムの源流なので通婚が進んでいる。

それに対して華人系は、存在感は大きいのに宗教がキリスト教か仏教だという事情もあって通婚や同化が進んでいない。宗教の壁がないタイやフィリピンでは、華人系という峻別がつかないほどに同化が進み、華人系の国家指導者（タイのチュアン首相、タクシン首相、フィリピンのコラソン・アキノ大統領、ベニグノ・アキノ大統領）まで輩出しているのとは大きな違いである。

スハルト体制下で華人系企業家が台頭し始めると、当然のことながら、プリブミ企業家を育成せよ、という声が政権内外から湧き起こった。

プリブミ企業家の育成政策は、独立間もない時期にも試みられている。一九五〇～五七年に実施された「ベンテン（要塞）計画」である。独立後も外国資本に牛耳られたままの経済に民族資本の砦《とりで》を築くべく、プリブミだけに限って輸入ライセンスを発給する政策だった。その結果、プリブミ輸入業者の数は急増した。だがその実態は、ライセンスを華人に転売するだけの泡沫《ほうまつ》業者が大多数であった。

この政策を踏み台に成長できたのは、すでに事業経験のあった少数派だった。バクリとカラは、創業者である父がこの政策で足掛かりを築いた。しかし、その少数派の成功者も、海運のスダルポ・グループを例外とすれば、ダサアド、パルデデ、ハシム・ニンなどはみな一九七〇年代までに斜陽化してしまった。

スハルト時代になって最初のプリブミ企業育成策が打ち出されるのは、反日反華人暴動「マラリ（一月一五日の惨事）の略称）事件」が契機だった。一九七四年一月一五日、田中角栄首相の来訪に合わせた学生デモが暴動に発展した事件である。急増した外国投資、とりわけ日本企業と、そのパートナーとして急成長しているチュコンが攻撃の的になった。

事件後、政府は「投資ガイドライン」を発表した。外国投資はプリブミと合弁事業を組むこと、合弁相手が華人である外資企業は華人所有株式の半分を株式市場を通じてプリブミに売却すること、華人の一〇〇%所有企業は株式の半分を株式市場を通じてプリブミに売却すること、などが主な内容であった。

外資に対する「インドネシア化」規制、つまり合弁形態の義務づけ、分野別の所有制限、外国人の就業規制は、その後大統領決定などが出されて法的拘束力が生じた。だが対照的に、華人に対する「プリブミ化」規制の方は法制化されず、実効性をもつことはなかった。実際、その後も外資の合弁相手がプリブミに限定されることはなく、華人の株式売却がなされた形跡もない。この政策をテコに台頭してきたプリブミ企業家も見当たらなかった。

スハルト自身が華人資本の有用性を熟知している張本人である以上、華人規制は政治的ジェスチャー以外の何ものでもなかったのである。

ギナンジャール・ボーイズ

プリブミ企業家の育成という観点から実効を上げたのは、一九七九〜八八年に行われた政府調達政策であった。

実行機関となったのは国家官房の中に設置された「政府物資・設備調達管理チーム」である。チーム長にスダルモノ国家官房長官（後に副大統領）、チーム事務局長にはギナンジャール・カルタサスミタ補佐官が就いた。「スダルモノ機関」と呼ばれたこのチームの任務は、五億ルピア以下の政府調達をプリブミ企業に限定して入札発注することであった。

折しも第二次石油ブームである。公共事業や石油ガス開発で旺盛な政府調達需要が生まれていたところに「スダルモノ機関」は大いにその威力を発揮した。外資や華人企業に押されて伸び悩んでいたプリブミ企業に、この積極的差別是正措置（アファーマティブ・アクション）が現状打破のチャンスを与えた。チームを差配するギナンジャールのもとで飛躍を遂げた一群のプリブミ企業家たちのことを、後に外国メディアは「ギナンジャール・ボーイズ」と呼ぶようになる。

プリブミ企業家の育ての親ギナンジャール・カルタサスミタ

アブリザル・バクリもその一人である。創業者である父アフマド・バクリはスマトラ南部ランプンの一次産品仲買商から身を興し、一九五〇年代にジャカルタで機械類の輸入商を経て鉄線・鋼管事業に参入したが、一九七〇年代になっても生産は不振を極めていた。そこへ、バンドゥン工科大学を一九七三年に卒業して入社していた長男アブリザルが「スダルモノ機関」を通じて石油公社プルタミナ向けの大直径鋼管、公共事業向けの電柱、水道管などを次々に受注してきたのである。これでグループ経営は息を吹き返した。バクリと同じく、それまで外国勢の独擅場《どくせんじょう》だったプルタミナ向け大直径鋼管を受注したのがアリフィン・パニゴロである。続けて彼は、石油掘削事業への参入にも成功した。この時に新設したメドコ社を中核とするメドコ・グループは現在、石油ガス事業で国内最大の民間生産者になっている。コロンビア、オマーン、リビア、アメリカなどの海外展開ではプルタミナのはるか先を行く。

ユスフ・カラもまた政府調達策が転機になった。地元の南スラウェシで国立ハサヌディン大学を一九六七年に卒業した後、父が創業したハジ・カラ・グループを継いでトヨタ自動車の総代理店やホテル業に事業多角化を進めていたが、ジャカルタで新たにブカカ・グループを興したのである。一九七八年にバンドゥン工科大学を卒業したばかりのファデル・ムハマドと組み、「スダルモノ機関」からの受注でブカカ・グループの機械工業を拡大した。

それから二〇年を経て、彼ら「ギナンジャール・ボーイズ」が次々に政界に進出してきた。政治とビジネスの「二重機能」が新しい現象なのは、政治権力=プリブミ、財力=華人という二重構造を打破するだけの一群の有力プリブミ企業家が育つまでに、建国から六〇年近い

名前	政界進出年	政治職	企業グループ名
シスウォノ・ユド・フソド*	1988	公共住宅国務大臣、移住大臣、副大統領候補	バングン・チプタ・サラナ（創業者）
アブドゥル・ラティフ	1993	労働力大臣	サリナ・ジャヤ（創業者）
タンリ・アベン	1998	国営企業改革国務大臣	バクリ（専門経営者）
ファフミ・イドリス*	1998	労働力大臣、工業大臣	コデル（創業者）
ユスフ・カラ*	1999	商工大臣、社会福祉調整大臣、副大統領、ゴルカル党首	ハジ・カラ（2代目）／ブカカ（創業者）
アリフィン・パニゴロ*	1999	闘争民主党副党首、国会同党会派長	メドコ（創業者）
リニ・スワンディ	2001	商工大臣	アストラ（専門経営者）
ラクサマナ・スカルディ	2001	国営企業国務大臣	リッポ（専門経営者）
ファデル・ムハマド*	2001	ゴロンタロ州知事、海洋漁業大臣	ブカカ（創業者）
アブリザル・バクリ*	2004	経済調整大臣、国民福祉調整大臣、ゴルカル党首	バクリ（2代目）

表6－1　企業グループ所有経営主・専門経営者から政界に進出したプリブミ・エリート一覧

（注）＊政府調達政策の恩恵を受けた企業家
（出所）アジア経済研究所『アジア動向年報』各年版ほかより作成

歳月を要したことを意味している。

表6－1は、名の通った企業グループの経営に携わり、かつ閣僚または国会の要職に就いた企業家兼政治家の一覧である。私のみるところ、これまでに一〇人いる。三人がスハルト時代の先駆者であり（スハルト側近として入閣した華人ボブ・ハサンとスハルトの長女は企業家ではあるが除外している）、七人がスハルト後の時代に政界の要職に就いている。

表には企業グループの所有経営主だけでなく、専門経営者も三人含めた。三人とも、有力企業の経営トップとしての手腕を買われて入閣した。能力主義にもとづく競争があり、組織的・恒常的な鍛錬の場を提供するのはかつては国軍だけだったと述べたが、一流企業もそこに加わるようになったことの証しであろう。興味深いことに、最大の民族集団であるジャワ人はリニ・スワンディ一人だけで、あとは外島あるいはスンダ（西ジャワ）の血を引く人々である。

表の一〇人のうち、六人がいわゆる「ギナンジャール・ボーイズ」である（表の＊印）。企業グループの所有経営主に限れば、小売大手サリナ・ジャヤ・デパートを経営するアブドゥル・ラティフ以外はみな、政府調達政策から何らかの恩恵を受けたことになる。

ちなみに、彼らが恩義を感じる辣腕《らつわん》官僚ギナンジャールは、「スダルモノ機関」の任務を引き継いで一九八三年に国産品使用振興副大臣として初入閣し、その後鉱業エネルギー大臣、国家開発企画庁（バペナス）長官、経済調整大臣の要職をスハルト政権下で歴任した。スハルト辞任の前夜、経済閣僚一四人の意思をとりまとめて「もはやスハルトに協力しない」旨の書状をスハルトに送り、スハルトの延命策にとどめを刺す役割を演じた。

その功もあって民主化後も第一線に残り、立法府に転じて国民協議会の副議長、新設の地方代表議会の初代議長を務めた。現在の第二期ユドヨノ政権では大統領諮問会議の委員を務める。スハルト体制期、体制転換期、民主主義期を通じて現役を貫いている他に例をみない政治エリートである。

彼もまたかつて大統領の条件とされたジャワ人ではなくスンダ人である。東京農工大学を卒業した日本留学組であり、日本インドネシア友好協会会長という顔ももつ。

ギナンジャールと「ボーイズ」たちの関係は、時を越えて、政界のゴッドファザーと最前線をゆく政財界エリートという関係に進化している。

解き放たれた三本の手綱

ユスフ・カラ前副大統領やアブリザル・バクリ現ゴルカル党首に代表される企業家兼政治家は、経済政策の形成にあたってどのような役回りをはたしているのだろうか。

彼らは、政府の優遇政策の恩恵を受けた数多くの事業者の中から生まれ出た一握りの成功者であり、秀でた戦略性と合理的思考の持ち主であることは間違いない。成功体験に裏づけられた自尊心もある。

と同時に、プリブミが外国や華人と同じ土俵で闘っても勝ち目がないということも実体験としてよくわかっている。そこから、彼らなりの「経済ナショナリズム」が生まれてくる。すなわち、国内資本、より厳密にはプリブミ資本が主役となって、外国支配に屈することのない国内経済、国内産業を打ち立てなければならない、そのためには一定の政策介入が必要だ、という考え方である。

かつてスハルト大統領が、経済運営にあたって二つの異なるグループをうまく使い分けていたことはよく知られている。一つめは、前章でみた市場メカニズム重視の思想をもった経済テクノクラートである。

二つめは、経済ナショナリズム思想をもって国産化を積極的に推進しようとしたテクノローグ（技術官僚）である。彼らの用いた手段は、国営企業群を中心に据えて国産化を実現することであった。

代表格は、航空機製造や造船をはじめとする「戦略産業」を統括したハビビ研究・技術国務大臣、兼国家戦略産業管理庁長官（後の第三代大統領）だが、その系譜は第二次石油ブーム下で政府の重化学工業プロジェクトを推進したスフド元工業大臣、鉄鋼や肥料に事業を多角化したイブヌ・ストウォ石油公社プルタミナ初代総裁に遡ることができる。プリブミ企業振興を通じて国産化を志向したギナンジャールもこの系譜に含められるだろう。

工業化の初期から重厚長大型の資本集約型産業を振興する「フルセット主義」戦略に対して、経済テクノクラートは真っ向から反対を唱えた。「資本集約型産業への大規模投資はインドネシアの比較優位に反する国家資金の浪費である。まずは豊富な労働力を活かした労働集約型産業に注力すべきだ」との主張である。

スハルトは、好景気になるとテクノローグを後押しし、景気が悪化すると経済テクノクラートに治療をゆだねるというふうに、状況に応じて二派をうまく使い分けてきた。

この二派のせめぎ合いは政策形成の表舞台で演じられたが、もう一つ見逃してはならない第三のグループがあった。それが、先に述べた政治権力者と同盟関係にあった華人企業家たちである。彼らが最優先するのはビジネスの実利である。利益が上がりさえすれば、資本集約型だろうが労働集約型だろうが、どの産業でも構わない。上がった利益の一部は権益の配分者に還元する。彼らは常に舞台裏にいたが、実利優先の論理は直接間接に政策形成に影響を与えてきた。

これら三つのグループの上に立ってバランサーとして三本の手綱をさばいてきたスハルトは、体制転換とともにいなくなった。三本の手綱は解き放たれた。スハルトを扇の要とした統合的な経済システムそのものが、もはや過去のものとなった。

解き放たれた三本の手綱のうち、脈々と存続しているのが経済テクノクラートである。それは、彼らの人材の層が厚いから、というだけではない。彼らの掲げる経済自由主義思想が、今やグローバル標準となったことに負うところが大きい。貿易自由化、投資自由化、経済統合といった世界的潮流を、好むと好まざるとにかかわらず、経済政策上も企業経営において も前提にせざるを得ないからである。

他方、テクノローグの影はめっきり薄くなった。経済テクノクラートからの批判を抑え、経済自由主義に背を向けても国産化を後押ししてくれたスハルトという後ろ盾をなくして以降、政策形成に影響力のあるテクノローグはハビビを最後に出てきていない。

「戦略産業」の象徴であった航空機製造会社は二〇〇七年、ついに破産を宣告された。国営企業も、リスクと競争の世界に身を投じて自己改革するほかに生き延びる道はなくなっている。

テクノローグの退潮を補うように、経済ナショナリズムを引き継いで登場してきたのが企業家兼政治家である。彼らはまた、かつて華人企業家が代表していた実利優先の論理をも引き継いでいる。すなわち、解き放たれた三本の手綱のうちの二本を受け継いだのが企業家兼政治家なのである。

彼らは、テクノローグと違って国営企業主体ではなく、民間部門の活性化に軸足を置く。そして、華人企業家たちとは違って、堂々と政策形成に携わる地位を得たわけである。

2　表舞台に出てきた華人企業家たち

壇上に上がったダブル・フランキー

表舞台に出てきたのはプリブミ企業家兼政治家だけではない。華人企業家もまた、公の場に自ら進んで姿をみせるようになってきた。

「Feed the World（世界に食糧を供給しよう）」

この威勢のいいスローガンを掲げた大規模な食糧展が、二〇一〇年一月インドネシア商工会議所（KADIN Indonesia）の主催で開かれた。開会の銅鑼《どら》を打つ大統領と並んで壇上に上がったのは、このイベントの実行責任者である二人のフランキーである。

一人はフランキー・ウィジャヤ。シナル・マス・グループの創業者エカ・チプタ・ウィジャヤ（黄奕聡）の六男で、グループのアグリビジネス・食品部門を統括する上場企業スマート社（PT Sinar Mas Agro Resources and Technology Tbk）の会長を務める。同部門は、紙パルプ、金融、不動産と並ぶグループ事業の四本柱の一つである。青山学院大学卒業の学歴をもち、KADINでは二〇〇八年からアグリビジネス担当副会頭のポストにある。

もう一人はフランキー・ウェリラン（正式にはフランシスクス・ウェリラン）。サリム・グループの創業者リム・スィウリョン（林紹良、インドネシア名スドノ・サリム）の娘婿で、創業者の三男アントニー・サリムとともにグループ経営を担う。グループの支柱であるインドネシア最大の食品会社インドフード社の取締役であり、同社の子会社でインドネシア最大の製粉会社ボガサリ社の最高経営責任者を務める。KADINではフランキー・ウィジャヤ副会頭のもとで食糧担当常設委員長を務めている。

二人は多忙を極める経営トップでありながら、この食糧展に際しては、開催資金集めから、会期中に発表する『食糧セクター発展ビジョン二〇三〇とロードマップ二〇一〇～一四年』

のとりまとめ、シンポジウムのスピーカーの手配にいたるまで、半年にもわたって奔走してきた。

シナル・マス・グループとサリム・グループは、インドネシアを代表する華人企業グループである。体制転換の荒波を乗り越え、現在でも五本指に入る最有力企業グループであり続けている。

両グループの創業者は、中国福建省《ふっけん》に生まれ一九三〇年代に渡来してきた華僑という点で共通している。「プラナカン」と呼ばれるインドネシア生まれの華人企業グループ創業者が多いなかで、この二人は「トトック」(純血を意味するジャワ語)と呼ばれる中国本土生まれの少数派に属する。華人企業家たちはこれまで舞台裏の存在だったことは先に述べたとおりだが、とりわけトトックは公の場やマスコミにめったに姿をみせることはなかった。ベールに閉ざされていた代表的トトックの第二世代が、大統領とともに数百人の聴衆を前にして壇上に上がった光景は、まさしく時代の変転を象徴していた。

有力華人企業家のなかから積極的に財界活動にかかわる者が出てきたのは、創業者世代が引退し、外国で教育を受けた第二世代に代替わりしつつあることも一つの要因ではあろう。だが、より本質的には、華人企業家たちはもはや権力者と直接取引する裏のパイプをもつことをそれほど重視しなくなっている。時の政権に対して自社の貢献をアピールしたい、我が業界の利害を政策に反映させたいと考える華人は、経済団体などの公式なルートを利用することに意義を見いだすようになっている。

経済団体の変貌

これはすなわち、経済団体がその役割を変化させていることを意味する。スハルトを頂点とする統合的な経済システムが機能していた時代には、官僚組織や官製の団体はもちろん、民間部門の経済団体でさえも上意下達のルートの一つにすぎなかった。

インドネシアには、業種横断的かつ全国規模の経済団体が二つある。一つがKADIN。企業家・産業界の振興、産業界と政府との意思疎通を目的とした機関である。日本の経団連（経済団体連合会）、日本商工会議所、そして商工会の機能を併せ持ったような組織である。もう一つはインドネシア経営者協会（APINDO）である。こちらは労使関係における経営者の立場を代表する機関である。日本でいえば、日経連（日本経営者団体連盟：二〇〇二年に経団連に統合）に相当する。

KADINを例にとって、その変化をみてみよう。KADINは、一九六八年にジャカルタの企業家による自発的な結社から生まれた「政府から独立した組織」（一九八七年KADIN法）ではあるものの、スハルト体制が確立する一九八〇年代には政府の政策や意向を周知徹底するための官製組織としての色彩を強めていった。そうした上意下達ルートのうえに位置することに利益を見いだす一部のプリブミ企業家たちが参集する財界サロン、というのがその実態だった。

スハルトが去ると、政府はもはや民間部門の企業家にとって絶対的な「お上」ではなくなった。ユドヨノ政権誕生より八ヵ月前の二〇〇四年初め、KADINは五年に一度の全国大会を開き、「投資環境の改善において政府のパートナーとしての役割を高めること」を次の五年の組織目標の一つに掲げた。

その全国大会で会頭に選出されたモハマド・ヒダヤット（現工業大臣）のもとで、KADINと政府の位置関係は上意下達の垂直的関係から水平的なパートナーシップへと変化した。産業界の利益を代表して政府に政策を提言する機関としてKADINが立ち現れてくると、そうした活動の場に華人の姿が混じるようになる。

これはある意味必然的な流れである。なぜなら、華人系企業を抜きにしては業界の代表、産業界の代表にはならないからだ。飲食品、家電、縫製、自動車・二輪車部品など各業界団体をみても、正副会長ポストに華人が就くことが珍しくなくなってきた。

日本と違って政府からの交付金を受け取ることができないインドネシアの経済団体では、会員からの会費以上に役員からの寄付金が主要な活動資金源になる。経済団体の側からすれば、華人企業家の役員への取り込みは財源として重要であり、活動が活性化するほどその必要性は増す。意見表明のルートとしての価値を感じ始めた華人企業家との利害がそこで一致する。

政策形成に影響を与える産業界の代表機関へ、プリブミと華人の融合へ、という変化は、民主化後の経済団体にみる大きな潮流ととらえてよいであろう。

華人政策の転換

経済団体は独自の文脈でプリブミと華人の融合に向かっているが、その背景にはより大きな民主化後の華人政策の転換がある。

華人差別の撤廃に舵を切ったのは、アブドゥルラフマン・ワヒド第四代大統領である。彼は、最大のイスラム団体NUを率いるイスラム指導者でありながら、宗教や民族の間の融和を説き、少数派や抑圧された人々に心を砕く、リベラルな多元主義者だった。

二〇〇〇年、アブドゥルラフマン・ワヒド大統領はスハルト体制初期に定められた華人規制を撤廃し、文化・社会慣習上の自由を保障した。儒教は、国が公式に認める「宗教（アガマ）」の一つに加えられた。国民が携帯する身分証明カードに非公式につけられていた華人コードは廃止された。

中国正月（イムレック）は国民の祝日になり、ショッピングモールに赤い提灯《ちょうちん》が飾られ、獅子舞踊りを誰もが見物するようになった。街の看板に漢字が復活した。華字紙が発刊され、テレビのニュースに中国語の時間帯ができ、地方大学にまで中国語学科が開講されるようになった。

どれもスハルト時代には想像できなかった風景である。だが、考えようによってはむしろスハルト体制下の華人の扱いがいびつだったのであって、一九六七年以前の姿に戻りつつあるといった方が正しい理解だろう。

華人による結社も、規制から解放された。民主化後の一〇年間に、同姓・同郷会、同窓会、慈善団体を中心に五〇〇ほどの華人団体が設立された。経済分野の華人団体はむしろ数が少ないが、インドネシア中華総商会などは中国との経済交流を活発化させている。

華人が踏み込めなかった政治の世界にも変化の兆しがみられる。国会議員五六〇人のうち、華人議員は一四人になった。華人系住民の多い西カリマンタンとブリトゥン島では、直接選挙によって華人の市長と県知事が誕生した。政治はプリブミ、経済は華人という分断の構図は、華人の側からも少しずつ変わり始めている。

3　企業グループの再編

一〇年ぶりの企業グループ・ランキング

一九九七年を最後に途絶えていた企業グループのランキングが、再び現地誌『ワルタ・エコノミ』や『グローブアジア』に発表され始めたのは二〇〇七年のことである。一〇年にもわたってインドネシアの企業グループ地図が混沌《こんとん》に包まれていたことは、アジア通貨危機と政治体制転換のダブル・ショックを受けたインドネシア企業部門の再編がどれほど苛烈なものだったかを物語っている。

企業部門を襲った打撃の第一は、債務地獄であった。ダブル・ショックで経済活動が麻痺すると、企業による資金返済はストップした。海外からドル建てで借り入れていた企業は、ルピアの価値が四分の一以下に暴落したために巨額の為替差損が発生し、デフォルト（債務不履行）に陥った。民間の国内・対外債務の総額はGDPの七二％にあたる一〇五四億ドル（約一一兆円、一九九九年末）にも達した。

重債務を抱えた企業グループは、対外債務は外国の債権者と、国内債務は不良銀行債権を引き取った政府と返済交渉にあたった。傘下事業が債権者に差し押さえられたり、売却、清算されたり、あるいは債権者が債権そのものを転売したりして、資産の所有は二転三転した。

打撃の第二は、銀行の破綻である。企業グループの多くは傘下に銀行をもっていたが、弱小銀行は清算され、有力銀行は国有化された後に外資系ファンドなどに売却された。危機前に五八行あった企業グループの傘下銀行はわずか六行（二〇〇一年）にまで減った。

とりつけ騒ぎが起きた銀行は、中央銀行から特別融資を受けた。政府は、それらの銀行の株主に無限責任でこの中銀特融を全額返済するように義務づけた。自分の企業グループの資産を売却して返済せよ、というお達しである。

総額一一三兆ルピア（約一・五兆円、二〇〇〇年末）の中銀特融のうち五三兆ルピア（約七二〇〇億円）までが、サリム・グループが所有する最大の民間銀行BCA（バンク・セントラル・アシア）向けであった。サリムは、売上高が二二〇億ドル（約二・四兆円、一九九六年）を超える東南アジア最大規模の企業グループだったが、この措置によって傘下企業一〇八社の売却に追い込まれた。事実上の財閥解体である。サリムは銀行だけでなくセメント、アグリビジネス、石油化学、日用消費財などの優良事業を失った。創業者リムとスハルトとの強い紐帯から「スハルトのクローニー（取り巻き）」の代表格とみなされたサリムに対して、ハビビ政権が下した政治判断であった。

企業グループにとっての第三の打撃は、KKN（癒着、汚職、身内びいき）の排除であった。

サリム・グループの例にみるように、企業債務と銀行破綻の処理にもＫＫＮ排除の政治力学が働いていたが、ここで主なターゲットとなったのはスハルトの子供世代の企業グループである。彼らは、一九八七～九〇年代前半にそれまで国営企業の所管であった公共事業に民間企業として初めて参入する機会を与えられるなどして急成長していた。スハルト退陣後、彼らへの発注契約は白紙に戻されたり、国営銀行からの融資は差し止められたりした。

結果として姿を消した企業グループは、高速道路事業を主体としていた長女トゥトゥット（正式にはシティ・ハルディヤンティ・ハストゥティ・ルクマナ）のチトラ・ラムトロ・グン・グループ、民間テレビ放送で高収益を上げていた次男バンバン・トリハトモジョのビマンタラ・グループ、石油ガス事業で権益を拡大し「国民車」計画で特別優遇策を受けていた三男トミー（フトモ・マンダラ・プトラ）のフンプス・グループ、スハルトの主宰財団が所有し側近華人ボブ・ハサンが経営していたヌサンバ・グループなどである。

このように経済的、政治的要因がない交ぜになった幾重もの危機に、企業グループはさらされた。にもかかわらず、一〇年ぶりに発表された企業グループ・ランキングに並んだ顔ぶれは、意外なほどに変わっていなかった。民主化後の政界に――閣僚にしろ、国会議員にしろ、州知事にしろ――新顔がどっと参入したのとは対照的でさえある。

表６－２に、『グローブアジア』誌にもとづく二〇一一年時点での二〇大企業グループを

順位	企業グループ名	所有経営主	属性	世代	推定売上高（億ドル）	主な事業分野
1	アストラ（2）	ジャーディン・マセソン（香港）	F	－	128	自動車、金融、重機、農園
2	サリム（1）	アントニー・サリム	C	2	110	食品、農園、通信
3	シナル・マス（3）	エカ・チプタ・ウィジャヤ	C	1	60	農園、紙パルプ、金融、不動産
4	ジャルム（9）	ロベルト・ブディ・ハルトノ	C	2	58	タバコ、不動産、銀行、電気電子
5	バクリ（17）	アブリザル・バクリ	P	2	46	石炭、農園、通信、不動産
6	リッポ（5）	モフタル・リアディ	C	1	46	不動産、小売、ＩＴ、教育、医療
7	グダン・ガラム（4）	スシロ・ウォノウィジョヨ	C	3	44	タバコ、不動産、農園
8	ラジャ・ガルーダ・マス（25）	スカント・タノト	C	1	35	紙パルプ、農園、レーヨン、石油ガス
9	パラ（－）	ハイルル・タンジュン	P	1	29	金融、メディア、不動産、小売
10	アダロ・エネルギー（－）	エドウィン・スルヤジャヤ／テオドル P.ラフマット	C	1	27	石炭、農園、通信、電力
11	バリト・パシフィック（15）	プラヨゴ・パンゲストゥ	C	1	21	石油化学、合板、石炭、地熱
12	ウィングス（94）	エディ・ウィリアム・カトゥアリ	C	2	21	日用消費財、食品、金融
13	サンプルナ・ストラテジック（－）	プトラ・サンプルナ	C	1	18	不動産、農園、通信、カジノ
14	ガジャ・トゥンガル（7）	シャムスル・ヌルサリム	C	1	18	タイヤ、小売、石油化学
15	オメトラコ（29）	ハンドヨ・サントソ	C	2	17	飼料、養鶏、食品、金融
16	パナソニック・ゴーベル（32）	ラフマット・ゴーベル	P	2	15	電気電子、電池
17	パニン（21）	ムミン・アリ・グナワン	C	1	15	銀行、保険、証券、不動産
18	カルベ・ファルマ（12）	ブンヤミン・スティアワン	C	1	12	製薬
19	アルサリ（旧ティルタ・マス）（46）	ハシム・ジョヨハディクスモ	P	1	12	石油ガス、セメント、農園
20	トラキンド（113）	A.H.K.ハマミ	C	1	12	建機、石炭、農園

表６－２　インドネシアの20大企業グループ（2011年）

（注）属性はＣ：華人、Ｐ：プリブミ、Ｆ：外資（国内資本により創始され、後に外資化されたもの）。カッコ内の数字は1996年の売上順位

（出所）*GlobeAsia*　2011年８月号、1996年の売上順位は *Warta　Ekonomi* 1997年11月24日

掲げた。一九九六年の順位と比べると、三大グループは不動である。一〇大グループのうちの七つまでが二〇位以内に残っている。一〇〇位以下から浮上したグループもあるが、古顔には違いない。このなかでまったくの新顔といえるのは、唯一ハイルル・タンジュン率いるパラ・グループだけである。

食品事業から復活をはかるサリム

スハルト時代の三大企業グループ、サリム、アストラ、シナル・マスは三者三様の危機をくぐり抜けた。

サリム・グループは、まさしく政治的理由から「財閥解体」となった。政府との債務交渉にあたった二代目アントニー・サリムがそこで死守したのは、食品事業であった。インドフード社を軸にしたグループ再生が始まった。

インドネシア人は、インドフードといえば「インドミー」ブランドで知られるインスタント・ラーメンをまず思い浮かべる。インスタント・ラーメンは日本の発明品だが、インドネシアは、年に二四六億食を生産し一四四億食（二〇一〇年）を消費する中国に次ぐ大生産・消費国だ。その国内市場の七割を占める世界的メーカーで、中東、アフリカにも輸出しているのがインドフード社である。

同社は現在、ラーメンだけでなく、乳製品からスナック菓子にいたる総合食品部門で多国籍企業ユニリーバやダノンを寄せつけない国内市場シェアを握るほか、売却を免れた製粉と食用油を傘下に編成している。これからの有望ラインナップとして、健康食品や低コレステロール・マーガリンに注力しようとしている。そして、いったんは失ったオイルパーム農園を次々に買収してシナル・マスを急追している。

とはいえ、スハルト時代に比べると、サリム・グループの業容は国内・海外ともに大幅に縮小した。国内から香港に所有拠点を移したインドフード社と、フィリピンの通信事業は高収益源だが、中国やインド西ベンガル州の事業は「まだとるに足らない」とアントニーはいう。復活をかけたアントニーの闘いはこれからである。

紙パルプとパーム油のシナル・マス

シナル・マス・グループは、アジア通貨危機の後、数少ない「勝ち組」として脚光を浴びた。多くの企業グループと同じく傘下銀行を失いはしたが、国内外の債務額はサリムやアストラに比べて少なかった。サリムほどスハルトに近くなかったので、クローニー排除のターゲットにもならなかった。何よりも、グループ事業の柱が紙パルプとパーム油という、ルピア下落が有利に働く輸出事業だった点が強みとなった。

ところが、三年後の二〇〇一年になって巨額の債務破綻を起こしたのである。グループの紙パルプ事業の統括会社APP（Asian Pulp & Paper）社が一三四億ドル（約一・七兆円）もの債務を抱えて返済停止を宣言した。

APP社がこれほど巨額の資金を調達できたのには、いくつか理由がある。同社が一九九三年に本社をシンガポールに移し、翌年ニューヨーク証券取引所に上場していたこと、アジア通貨危機が発生するなかで「数少ない優良アジア企業」との評判が高まったこと、そこへモルガン・スタンレー、ゴールドマン・サックスといった名だたる証券会社が競うように社債発行を引き受けたことである。

だが、数十億ドルを投じた中国での製紙業はすぐには利益を生まなかった。紙の国際価格が二〇％急落したのをきっかけに、APP社は資金繰りに窮しデフォルトに陥った。ニューヨーク市場でも上場廃止になった。

APP債務問題は、アメリカや日本を含む国際金融機関にとって手痛い経験となった。というのも、ほとんどが私募債の形態だったため、債権者は法的な清算手段に訴えることができず個別交渉によるしかなかったからである。返済交渉は難航し、結局債権は大きく削減された。本件は、脆弱な企業ガバナンス、複雑怪奇な所有構造を特徴とするアジア企業の高リスクの象徴として語り継がれることになった。

だが、シナル・マスは結局のところ、国内の政治要因によって傘下事業の大半を失ったサリムとは対照的に、より巨額の債務を抱えながら主要企業を失わずに危機をやり過ごしたのである。

現在、シナル・マスの紙パルプ事業はインドネシアで年間約四〇〇万トン、中国で約五〇〇万トンを生産する。創業者の長男トゥグー・ガンダ・ウィジャヤが統括するこの部門は、中国に軸足を移しているようにみえる。三男インドラ・ウィジャヤは国内外の金融部門、四男ムクタル・ウィジャヤは不動産部門を担当する。そして、インドネシア国内で勢いを増しているのが、前節に登場した六男フランキーのアグリビジネス部門である。

シナル・マスは、オイルパーム農園からパーム油の二次加工にいたる垂直統合されたパーム油産業における国内最大の生産者である。グループの保有するオイルパーム農園の総面積は一万平方キロメートルを超える。東京都と神奈川県と千葉県を合わせた面積よりも大きい。

さらに今後、CITIC（中国中信集団公司）と組んで西カリマンタンに、CNOOC（中国海洋石油総公司）と組んでパプアに、それぞれオイルパーム農園を拡大する予定という。どちらも数億ドル規模の中国からの資金調達がセットになっている。

パーム油と紙パルプは、国内で調達できる安価な原料を競争力の源泉とするビジネスモデルだが、ともに深刻な問題に直面している。環境保全である。違法伐採、泥炭地の破壊、温室効果ガス排出の元凶だとして、シナル・マスはグリーンピースをはじめとする国内外の環境NGOからの批判の矢面に立たされている。シナル・マス製品をボイコットする欧米メーカーも現れた。

シナル・マスは、独立の専門家チームに批判の検証を依頼したり、NGO出身の環境専門家を雇ったり、駐インドネシア・アメリカ大使を任期切れと同時にアドバイザーに迎えたりと、イメージ回復作戦を盛んに展開している。

また、国内で初めてREDDプラスの枠組みを利用し、傘下企業が開発権をもつ泥炭林地について炭素蓄積量の保全を宣言した。REDDプラスとは、森林の減少・劣化を抑制することによる、温室効果ガスの排出量削減（Reducing Emissions from Deforestration and Forest Degradation）に、炭素蓄積を増やす森林保全や植林などの積極的行動をプラスした概念である。

グループの柱である農林資源ベースの事業を、環境保全と両立する持続可能なビジネスに進化させられるかどうか、それを国内外に説得的に説明できるどうか、業界トップのシナル・マスに課せられた責任は重い。

先進的経営を貫く機械工業のアストラ

アストラ・グループは、インドネシアにおける機械・部品工業の中心的な担い手である。日本との結びつきが深く、グループ内にはトヨタ、ダイハツ、いすゞ、日産ディーゼル、ホンダ（二輪車）、コマツ、デンソー、アイシン精機、日本ガスケット、ケーヒンなど二〇社以上の日系合弁企業がある。

と同時に、アストラは、インドネシアで最も先進的な経営で知られる企業グループである。一つの持株会社アストラ・インターナショナル社のもとに全事業が統括され、同社が上場しているので、グループの全容を把握することができる。多角化した企業グループとしてはこうした所有形態は珍しい。しかも、所有と経営が分離しているという点でも、インドネシアでは特異な存在である。

そのアストラも、アジア通貨危機では重債務に陥った。財務の透明性が高いアストラに融資が集中していたところに、ルピア暴落で輸入依存度の高い機械工業が大打撃を受けたからだ。アストラ経営陣は、日本を中心とする債権者団と交渉を重ねた末、危機時の債務総額約五一億ドルのうち、一一億ドルのリスケジュール（返済繰延べ）で合意に達した。アストラは傘下企業の売却、合弁パートナーへの株式売却などのリストラを進め、計画より二年早い二〇〇四年に債務を完済した。

実はアストラ最大の危機は、一九九三年に遡る創業者家族の離脱劇であった。創業者ウィリアム・スルヤジャヤは中国渡来から三代目の「プラナカン」である。中国語は話せない。アストラをインドネシア社会に開かれた会社にしようと、プリブミ経営者の登用、専門経営者の育成、持株会社の上場、財務の透明化などを進めてきた。つき合いの長い日本企業からも、生産管理から勤労哲学にいたるまで多くを吸収してきた。

だが、長男エドワードのスンマ・グループが財務危機に陥ると、ウィリアムはアストラ・インターナショナル社における創業者持株を担保に入れ、結局これをすべて失ってしまった。債権者側に移った持株は、曲折を経て、スハルト大統領の影響下に移った。当然、経営にも影響力を及ぼすべく、スハルト側近華人ボブ・ハサンが同社の会長として乗り込んできた。

こうした経緯があったので、アストラにとっては一九九八年のスハルト政権崩壊は、すなわちスハルトの影響下からの「解放」を意味した。サリムとは逆に、スハルト退陣はアストラにはプラス面も大きかったのである。その後いったん政府管理下に置かれたアストラ・インターナショナル社の過半株式は、二〇〇二年に公開入札によってイギリス系香港資本であるジャーディン・マセソン・グループに売却された。

新しい安定株主となったジャーディンに対して、アストラ経営陣は、「アストラ」の名と一体性を維持すること、経営の要である持株会社の会長と社長ポストに生え抜き経営者をあてることを申し入れ、受け容れられた。

アストラは現在でも、華人、プリブミを問わず、学生に人気の就職先であり続けている。所有は外資に移ったが、二〇一〇年に鬼籍に入った創業者ウィリアムの「インドネシア社会に開かれた国家の資産たれ」という思いはアストラに生き続けている。

アストラの機械関連事業は、四輪車・二輪車・部品事業が持株会社の連結純利益の四九%、重機が一六%、合わせて六五%を占める（二〇一〇年）。一九九〇年時点の八割台からは下がったものの、機械工業はアストラの屋台骨である。二〇%を占める金融も、自動車関連が主体である。これにオイルパーム農園とインフラ事業が加わる。

ただ、機械工業に軸足を置く企業グループは、二〇大グループをみても少数派である。アストラのほか、日本のパナソニックと組む一六位のゴーベル、米キャタピラーと組む二〇位のトラキンドの三つしかない（表6−2）。

アストラは、総合的な機械メーカーとしても、日本との結びつきの深さからみても、傑出した存在である。

国内最大の石炭生産者になったバクリ

さて、アストラの創業者家族はその後どうしたかというと、後継社長になるはずだった創業者の次男エドウィン・スルヤジャヤはサラトガという投資会社を設立した。実は二〇〇二年にこれでアストラを買い戻そうとしたが、資金が足りずにジャーディンに敗退した。そのサラトガが今、収益の七割を上げている投資先が石炭ビジネスである。

アストラから創業者家族が離脱した前後の足かけ一八年にわたって、専門経営者としてアストラ社長を務めたのが創業者の甥にあたるテオドル・ラフマットである。彼も今、旧アストラ経営者とともにトリプトラという投資会社を作って石炭ビジネスに投資している。

サラトガとトリプトラが共同で所有するのが第一〇位のアダロ・エネルギー・グループであり、その中心的企業が国内第二の石炭採掘会社アダロ社である。インドネシア機械工業の雄であるアストラの旧首脳陣が第二の人生を賭けた先は、石炭だったわけだ。

二〇〇〇年代に中国向け輸出が急伸してにわかに巨大ビジネスに変貌したインドネシアの石炭産業において、現在最大の生産者となっているのはバクリ・グループの所有するブミ・リソーシズ社である。

バクリ・グループが一九八〇年代の政府調達政策で息を吹き返したことは先にみた。一九八八年、父アフマド・バクリの死去にともなってアブリザル・バクリに実権が移った後のグループは、まるでジェットコースター並みの急成長と急落下を繰り返している。

アブリザルは、一九八〇年代後半から、本業の鉄鋼に加えて、農園、畜産、金・銅鉱業、石油化学、通信、金融、不動産などへと事業を目覚ましく多角化した。併行して、持株会社バクリ・アンド・ブラザーズ社の経営を専門経営者にゆだね、事業部制を導入するなどの改革を進めた。そして、同社を上場して新株発行や借入れを行う、そこで調達した資金で非上場の家族持株会社から傘下企業を買収する、売却した側に入ってきた資金で新規ビジネスを買収する、上場持株会社の株式に転換できる社債を非上場持株会社が発行する、などのさまざまな資金調達テクニックを駆使し始めるのもこの時期である。

こうした野心的な急拡大は、しかし、アジア通貨危機で裏目に出た。バクリは、五大債務者に入る五・八億ドル相当の国内銀行債務と、約一五億ドルの対外債務を抱えた。債務リストラがようやく合意に達したのは二〇〇一年。債務の株式転換で、バクリ・アンド・ブラザーズ社の家族持株比率は三%にまで落ちた。

その二〇〇一年から再びバクリの快進撃が始まる。新たに石炭、石油ガス、インフラ事業に参入したのである。既存の事業は、農園、通信、不動産、鉄鋼の四分野に整理された。

石炭事業を統括するブミ・リソーシズ社は、二〇〇一年と二〇〇三年に外資系企業を一社ずつ買収し、わずか二年で国内最大の生産者になった。石炭の生産量は二〇〇九年には年六〇〇〇万トンを超え、二三%の生産シェアを握る。現在、グループ事業七分野のうち、売上でも利益でも約七割を稼ぎ出すのが石炭である。バクリが一〇年前に比べてランクを上げ、アダロ・エネルギーが一〇位以内に入ってくるのも、石炭産業の急成長あってのことである。

しかし、二〇〇六年以降、バクリには試練が続いている。二〇〇六年、傘下のラピンド・ブランタス社が東ジャワのガス田を掘削中に地下岩盤から大量の熱泥が噴出し、一二ヵ村が泥に沈む「ラピンド熱泥事故」が発生した。同社は、グループの石油ガス事業売上の三倍を超える三・八兆ルピア（約四・二億ドル）の賠償金支払いを政府に命じられた。その補償金の支払いが遅れ、バクリの評判を悪化させている。

二〇〇八年のリーマン・ショック後には、バクリ関連銘柄がインドネシア証券取引所で暴落し、市場の一時閉鎖の原因になった。この年の上期にバクリ・アンド・ブラザーズ社は、同社の新株発行とブミ・リソーシズ社を含む子会社の株式を担保にした借入れとで総額五〇億ドルを超える巨額の資金調達をしていた。この積極策がまたも裏目に出た。担保設定されていた子会社の株が売られ、融資機関からは担保の積み増しを求められたからである。バクリは、リーマン・ショックの直撃を受けて大きな損失を出したインドネシアでは数少ない例になった。また、バクリの主要企業には脱税疑惑が何度も取り沙汰されている。

以上の試練は、アブリザルが二〇〇四年に閣僚になった後に起きている。そして事が起きるたびに閣内で対立したのが、前章で紹介した大蔵大臣スリ・ムルヤニだった。

たとえば、ラピンド・ブランタス社を上場企業の傘下から切り離して売却しようとしたアブリザルに対して、「売却で責任逃れをするのは許されぬ」として証券市場の所管大臣スリ・ムルヤニがストップをかけた。リーマン・ショック後には、証券市場安定化のために市場閉鎖を続けるようアブリザルが大統領に願い出ると、スリ・ムルヤニは辞表を胸にしのばせて「市場閉鎖という異常なシグナルを世界に発信することの危険性」を大統領に訴えたと伝えられる。結局、すぐに市場は開いた。

ユドヨノ大統領は、第二期政権の組閣でアブリザルを閣外に外し、スリ・ムルヤニを大蔵大臣に留任させた。企業家兼政治家よりも経済テクノクラートを選択したわけだ。だが、アブリザルは与党第二党ゴルカルの党首（任期は二〇〇九〜一四年）である。ブディオノ副大統領とスリ・ムルヤニを標的にして閣外から政権に揺さぶりをかけた。リーマン・ショック後に小規模なセンチュリー銀行の救済のため想定の一〇倍もの巨額の国家資金を注ぎ込んだ「政策判断の過ち」を組上《そじょう》にのせ、当時中銀総裁と大蔵大臣だったこの二人の経済テクノクラートの責任を国会で追及したのである。半年にわたって国会が紛糾した末の二〇一〇年五月、スリ・ムルヤニの世界銀行専務理事への転出が決まると、この政争は幕を下ろした。

アブリザルは幾多の試練にも動じる気配はない。企業家として、果敢な資金調達と投資行動を信条とする限り、多少の浮沈は想定の範囲内というところだろう。上場持株会社傘下の公開された事業とそれ以外の非公開事業とを使い分ける手法、複雑な企業株式の売買を通じて資金を捻出する方法は、海外のタックスヘイブンの利用もあってますます磨きがかかっている。

アブリザルの特徴は、リスク・テイク的な企業家であり、かつ政治とのリンクをもつことにある。政治家として二〇一四年の大統領選挙に照準を合わせているとすれば、それに向けて当面バクリのビジネスは短期的な収益重視に傾くだろう。

もとより、バクリだけでなくサラトガやトリプトラも、石炭事業を国際価格が高いうちに利を稼ぐ、いわばポートフォリオ的な投資先と位置づけているようである。その時々の優良資産に変幻自在に投資先を変える投資機関的な企業グループの登場は、インドネシアにおいてはスハルト後の時代に目立つようになった現象である。

新成功物語パラ

最後に、アジア通貨危機前にはまったく無名ながら一〇大グループ入りした注目の新興企業家ハイルル・タンジュン率いるパラ・グループを紹介しよう。

ハイルル・タンジュンは、プリブミ企業家としても新しいタイプといえるだろう。「ギナンジャール・ボーイズ」や「スハルト・チルドレン」に代表されるように優遇政策や政治的コネを利用して成長してくるプリブミ企業家が多いなかで、彼の場合は自身の力量だけでのし上がってきたからである。

ハイルル・タンジュンの名を一気に全国区に押し上げたのは、二〇一〇年のカルフール・インドネシアの買収である。仏大手ハイパーマートのカルフールは一九九八年のインドネシア進出以来全国各地に店舗網を広げ、あっという間に最大の小売業者になった。だが、街の中心部に大店舗を出店して地元小売業を圧迫する、納入業者にフランスの本社が指定する価格での取引を強いるなどとして、地場中小資本を苦しめる巨大外国資本の権化と目されていた。そのカルフールの株式四〇%を約三億ドルで取得して、「我が国企業を元気づけるために」単独最大株主として乗り込んだハイルルに、国民は快哉を叫んだのである。

新興企業グループの代表格パラ・グループの創業者
ハイルル・タンジュン（http://www.paragroup.com/）

ハイルルは一九六二年、ジャカルタに生まれた。インドネシア大学歯学科に在学中から、キャンパス内にコピー屋を開き、教科書のコピー本や学用品を売って学費を稼ぐといった

「商才」をみせ始める。学業もおろそかにせず、全国模範学生として表彰されている。

友人との共同経営で輸出向け子供靴・サンダル工場、不動産などの事業経験を積んだ後、独り立ちを決意する。一九九六年、小銀行を買収してメガ銀行と改称した。メガ銀行はアジア通貨危機を乗り切り、危機後に資本を増強した。一九九九年には、政府による資本注入や国有化を免れた地場民間銀行としては資産規模が四番目に大きい銀行になっていた。

民主化時代が到来し、出版・放送の自由化が始まった一九九八年、ハイルルは、政府の適性検査に合格してテレビ放送権を獲得した。二〇〇一年に放送を開始したトランスTVである。

不動産業では、カラ前副大統領の地元マカッサルで、カラ・グループと組んで一三ヘクタールもの敷地面積をもつ東南アジア最大のテーマ・パーク「トランス・スタジオ」に一兆ルピアを投資し、二〇〇九年に開所した。

パラ・グループは現在、①メガ銀行を中心に保険、ファイナンスを含む金融業、②テレビ放送やコンテンツ製作のメディア事業、③ショッピング・モールや娯楽施設の不動産業、④ブランド・ファッション品、コーヒー・チェーン店、旅行代理店などからなる「ライフスタイル」業、⑤カルフールの小売業の五分野を傘下におさめている。五分野とはいってもすべてサービス業であり、サービス業特化型の典型例といえる。

国民の「希望の星」となったハイルルを、ユドヨノ大統領は二〇一〇年、新設した大統領諮問機関「国家経済委員会（KEN）」の委員長に抜擢した。副委員長として脇を固めるのは、第4章で紹介した経済テクノクラート、ハティブ・バスリである。

さて、これがハイルルの政界入りの第一歩となるのか、それとも、政治家を最終目標とはせずあくまでプリブミ企業家として国民の期待を担い続けるのか、今後を注目したいところである。

第7章

日本とインドネシア

コスプレ姿の「プチンタ・ジュパン（日本愛好者）」たち（2011年）

1　つながる文化、つなぐ人々

プチンタ・ジュパン――日本愛好者

日本人にとって、インドネシアはアジアのなかでも遠い国ではないだろうか。中国、韓国といった隣国に比べて東南アジアは遠い。その東南アジアのなかでは、仏教や漢字文化のあるタイやベトナムにはどこか親近感を覚えるかもしれないが、インドネシアははるか南の国だし、日本人が身近に接することのないイスラム教徒の多い国である。物理的な距離もさることながら、心理的に遠い存在だろう。

ところが、インドネシア人の日常には日本がある。ものごころついた時から生活のなかに日本が溶け込んでいるという国民が総人口の三分の二ほどを占める。

一九七〇年代にはトヨタのキジャン（ミニバン型の多目的商用車）、ホンダのオートバイ、ナショナル（現パナソニック）のラジオといったモノを通して日本が浸透し始めた。一九八〇年代には「おしん」ブームが起きた。「アジアの成功者」日本にもこんな貧しさがあったのか、と深い共感を呼んだ。一九九〇年代にはインドネシア語版「マンガ」が出回り、民放テレビで「アニメ」が始まった。

そして二〇〇〇年代、日本に「はまる」子供たちが現れた。「うちの子がなんであんなに夢中なのかわからない」と、とくに日本と縁のあるわけでもない親たちは首をかしげる。小学生の男の子なら「ポケモン」や「イナズマイレブン」、女子中高生ならジャニーズの嵐やAKB48、という具合に、彼らが「はまる」対象は具体的だ。

しかも彼らは「集う」。みな携帯電話を手にする時代が来て、日本愛好者（プチンタ・ジュパン）は学校や地域でつながり合う。集まっては日本名で呼び合い、お気に入りのキャラクターを描き、「ハラジュク」イベントを催す。二〇〇八年ごろから急速に普及したフェースブックが、写真つきでこうした活動の輪をさらに広げる。

インドネシアにおける日本語学習人口は二〇〇〇年代に一〇倍に増えた。オーストラリア（二八万人）を抜いて、韓国（九六万人）、中国（八三万人）に次ぐ世界第三位の七二万人である（二〇〇九年時点、国際交流基金『海外の日本語教育の現状』二〇一一年）。学習機関数は中国に次ぐ二位で、ここには第二外国語として日本語を教える一七〇〇校あまりの高校が含まれる。

回転寿司、ヤキニク、シャブシャブなどの日本食も人気だ。ただし、これらは現地在住日本人が行かないようなインドネシア仕様の「日本食」である。そこへインドネシア人でも手の届く本物が出てきた。吉野家は一九九〇年代に一度撤退したが二〇一〇年に再進出し、今では店の前にインドネシア人が行列を作る。

アニメや日本食が流行《はや》る「クールジャパン」現象は、アジアはもちろん欧米諸国など世界に広がっている。だが、インドネシアの日本好きには、日本製品へのたしかな信頼から始まった三〇年来の積み重ねがあり、何よりその規模が違う。日本人の想像をはるかに超える大人数のインドネシア人が、日本に熱い片思いを寄せているのである。

ただ、ほとんどのプチンタ・ジュパンにとって日本の地を自分の足で踏むことは、遠い夢のまた夢である。

東日本大震災とインドネシア人

二〇一一年三月一一日に東日本大震災が発生した時、日本には約二万五〇〇〇人のインドネシア人がいた。在日インドネシア大使館によれば、このうち岩手・宮城・福島の三県には約六五〇人、福島から二〇〇キロメートル圏内にはさらに九二五〇人がいた。三年契約で来日する農業・漁業研修生が茨城県を中心に数千人おり、彼らのなかには契約途中で帰国を希望する者も少なくなかった。だが結局、国外退避したインドネシア人はわずか二六三人にとどまったという。

宮城県の塩釜港では、マグロはえなわ漁船のインドネシア人乗組員四人が津波の第二波にさらわれ、行方不明になった。塩釜や気仙沼のような漁業拠点には、インドネシア人が多い。国外退避したのは、こうした沿岸地方で津波に遭い、助かりはしたものの職を失った漁業研修生や漁船員たちがほとんどだった。

インドネシア大使館は、大震災の後すぐに危機センターを立ち上げた。そこへ本国から家族の安否を尋ねる問い合わせが殺到した。何しろ本国では大津波と福島第一原子力発電所の爆発事故が繰り返し報道され、あたかも日本中が大津波や放射線被害にさらされ、停電と通信遮断の状態にあるかのようなイメージが広がっていた。

騒然とする危機センターで大きな力を発揮したのが留学生たちだった。原子力を専攻する一一人の大学院生が危機センターに詰め、原発事故をめぐる情報を分析した。彼らの分析にもとづいて大使館は、福島第一原発から一〇〇キロメートル圏内にいる自国人を東京に避難させること、だが二五〇キロメートル離れた大使館を西日本などに一時移転させる措置はとらないことを決めたという。

在日インドネシア留学生協会は、「三万人の安否が未確認」という現地報道を例に挙げ、家族の不安をかき立てるような不正確な情報を流さないように本国のメディアに要請する声明を発表した。留学生たちと協力して大使館が総じて冷静な対応に徹したことが、在留インドネシア人の間にパニック的な国外退避が起こらなかった一因になったと思われる。

インドネシアは二〇〇四年末、マグニチュード九・一のスマトラ島沖大地震・津波を経験し、死者・行方不明者は一六万人を数えた。その際にいち早く救援に駆けつけてくれた日本への恩を今こそ返す時だと、政府は緊急救助隊を派遣した。一般市民による祈りの集会が開かれ、企業家からの義援金も相次いだ。ユドヨノ大統領は二〇一一年五月、二〇〇万ドルの政府義援金とアチェの子供たちからの手紙を携えて、気仙沼を訪れた。

日本で学んだ政府高官たち

日本在住インドネシア人の一割弱にあたる約二二〇〇人が、大学・大学院への留学生である(二〇一一年)。日本は、インドネシア人の留学先としてはアメリカ、シンガポール、オーストラリア、エジプト、マレーシア、ドイツに次ぐ七番目。日本への留学は、英語圏でないことに加え、卒業後就職できるシンガポール、生活費が安いエジプトやマレーシア、学費が安いドイツに比べて、壁が高い。

その壁を乗り越えて日本に来る理由の一つは、科学技術を学ぶためである。一九八五年に当時のハビビ技術担当国務大臣が世界銀行、ADB(アジア開発銀行)、日本政府から計六億ドルの援助・贈与をとりつけてドイツ、日本、アメリカの大学・大学院に技術系人材二〇〇〇人を留学させる計画を実施したことも、理工系学生の留学志向を後押しした。

近年、科学技術分野を担う政府高官に、じわりと日本留学経験者が増えている。政府の二大研究機関のトップ、すなわち、自然科学・社会科学を包括するインドネシア科学院（LIPI）の長官ルクマン・ハキム（二〇〇二年〜）、ハビビがかつて初代長官を務めた技術評価応用庁（BPPT）の長官マルザン・イスカンダル（二〇〇八年〜）は、それぞれ東京大学、東海大学で博士号を取得した留学組である。

マルザンBPPT長官は、インドネシアの技術発展を促す目的で二〇一〇年に発足した、政府機関・大学関係者の「日本同窓会」の呼びかけ人の一人にもなっている。

二〇一〇年に新設された大統領諮問機関「国家イノベーション委員会（KIN）」の委員長を、ユドヨノは技術政策では彼が最も信頼をおくムハマド・ズハルにゆだねた。ズハルは、ハビビ政権期の技術担当国務大臣で、インドネシア大学と東京大学の博士課程で電子工学を修めている。

科学技術政策は、実はユドヨノ政権の弱点である。KINを設置し、「イノベーション」や「創造的産業」の振興を唱えてはいるが、いまだかけ声の域を脱していない。

技術政策形成の担い手としての技術テクノローグも、ハビビを最後に影が薄くなったことは、第6章で触れた。第5章で焦点をあてた経済テクノクラートが、インドネシア大学経済学部という出身母体、アメリカ（またはオーストラリア）での経済学博士号取得という共通項をもって、凝集性の高い集団を連綿と再生産しているのとは比ぶべくもない。

だが、これからインドネシアが成長を続けようとするならば、内実をともなった科学技術政策が求められる局面が早晩来るであろう。そうした場面で、日本で学んだ人々が政策形成集団として力を発揮できるだろうか。その時のためにも、人材再生産のサイクルが活性化されるよう日本も後押ししてはどうだろうか。

2　広がるビジネスチャンス

貿易・投資・援助ともに日本が最大

インドネシアにとって、経済面における日本の存在は大きい。貿易、投資、援助のどれをとっても、日本は最重要国である。

貿易面では、日本はインドネシアの最大の輸出先である。輸入元としてはシンガポール、中国に抜かれて三位に落ちたが、輸出入を合計した貿易取引額をみると日本は四二七億ドル（全体の一五％、二〇一〇年）で依然として最大の貿易相手国である。

投資面では、日本の投資がインドネシアの外国直接投資総額に占めるシェアは近年では六・五％に落ちているが、一九六七～二〇一〇年の累積投資でみると全体の一二％にあたる四三三億ドル（投資調整庁統計）で、最大の投資国になっている。

政府開発援助（ＯＤＡ）についても、インドネシアの対外公的債務残高六一八億ドルのうち、日本政府からの債務が二七〇億ドルで四四％を占めている（二〇一〇年末、インドネシア銀行統計）。世界銀行（ＩＢＲＤ〔国際復興開発銀行〕とＩＤＡ〔国際開発協会〕、一一四億ドル、一九％）、アジア開発銀行（一一一億ドル、一八％）や他の国・機関を大きく引き離して、日本が圧倒的なドナー国になっている。

日本からみても、インドネシアは最大の援助対象国である。二〇〇九年度までの累計援助実績は、円借款《しゃっかん》が四兆五〇六五億円、無償資金協力と技術協力を合わせたＯＤＡ全体では五兆七五四億円にのぼる（日本外務省『ＯＤＡ国別データブック』二〇一〇年度版）。第二位の中国への三兆六四一三億円を大きく上回る。日本国民一人当たりにして四万円もインドネシアに援助している計算になる。

資源の供給源、機械類の市場

これだけ密接な日本とインドネシアの二国間関係の内実を表しているのが、図７－１に描いた貿易の構成である。

日本がインドネシアから輸入しているのは、その過半がＬＮＧや石油などの鉱物性燃料で

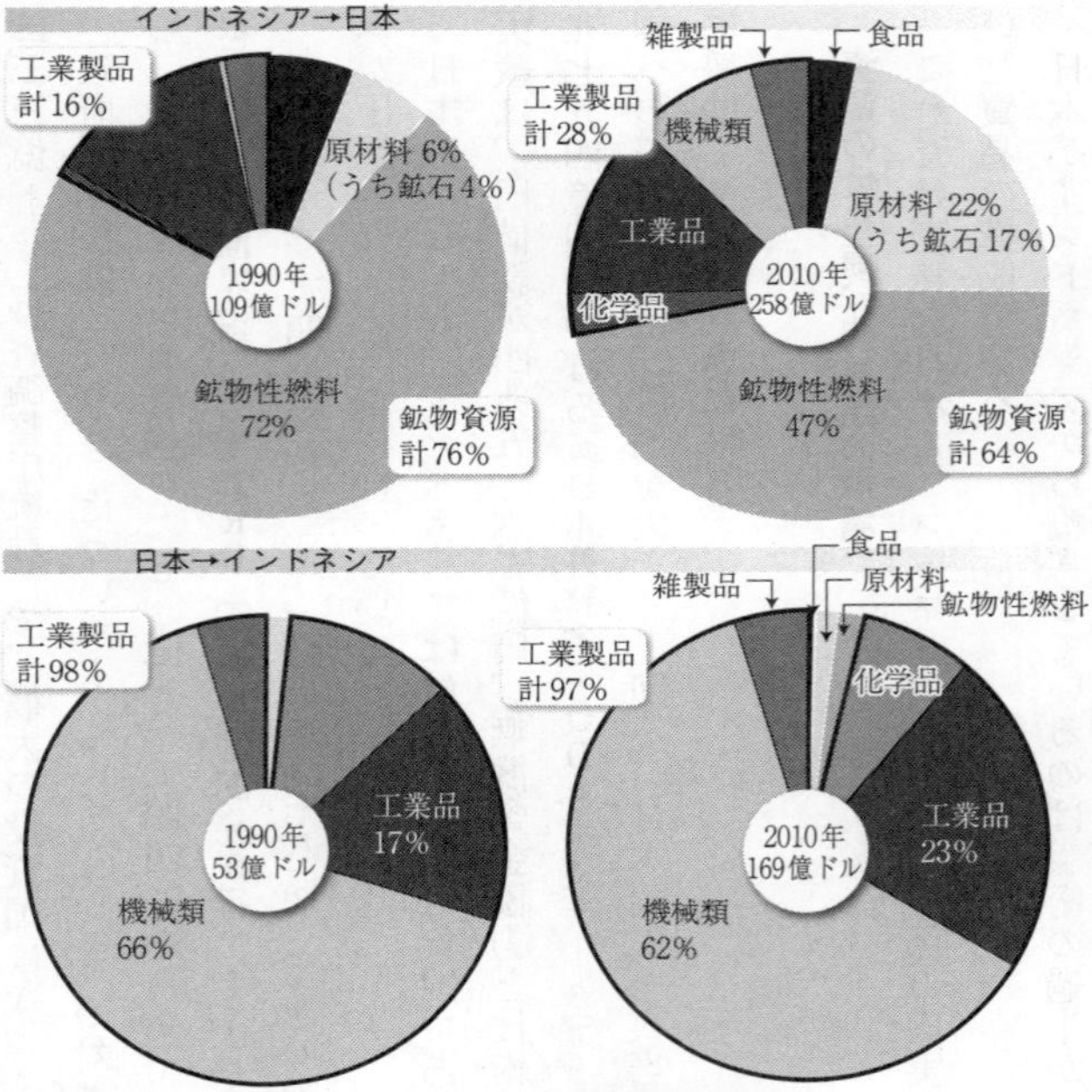

図7－1　日本とインドネシアの二国間貿易の構造
（出所）UN Comtrade より作成

ある。ニッケル、銅などの鉱石を加えた鉱物資源の合計シェアは一九九〇年に全体の七六％（八三億ドル）、二〇一〇年でも六四％（一六五億ドル）を占める。

第4章でみたようにインドネシアの輸出構造は一九八〇～九〇年代に産油国型から新興工業国型へと大きく転換した。鉱物資源のシェアは一九九〇年代末には二八％に落ち、二〇一〇年でも三六％だが、こと日本向けに限っては鉱物資源に偏った構造が時代を超えて貫かれている。

インドネシアが日本から輸入している品目も、機械類を中心とする工業製品が九割以上を占める構造に変化がみられない。ここに描かれた貿易構造は、日本がインドネシアを、一方ではエネルギー鉱物資源の供給源として、他方では自動車をはじめとする機械類の市場としてみなしてきたことを示している。

日本がインドネシアを最大の援助対象にしてきたのも、この基本構造と無縁ではない。外務省は『ODA国別データブック』のなかで、日本がインドネシアにODAを行う意義を二点にまとめている。

一つは、インドネシアの東アジア地域における重要性、つまり、インドネシアがASEANの中核国で、国際航海上重要な交通路を擁するため、その安定と発展が東アジア全体の繁栄に不可欠である点を挙げる。もう一つは、日本にとってのインドネシアの重要性であり、『データブック』は次のように述べる。

「インドネシアは、この地域における我が国の政治・経済両面の重要なパートナーであり、我が国とは、幅広い国民レベルでの長きにわたる友好関係を有している。また、両国は、貿易・投資等の経済面で密接な相互依存関係を有している。すなわち、インドネシアは、我が国にとって、エネルギーを中心とする天然資源の供給源であり、同時に、重要な市場・製造拠点・投資先でもある」

最後の「すなわち」以下に先の基本構造が集約されている。だが、この一文は『データブック』二〇〇六年度版以降は削除された。表現があからさまにすぎたか、あるいは変化の趨《すう》勢《せい》を読んでのことか、削除の真意は明らかではないが、削除された後も資源輸入が日本の対インドネシア関係において重要な位置を占め続けている現実に変わりはない。

「南進」時代から変わらぬ日本

インドネシアを資源の供給源とみなす日本の対インドネシア観は、戦前日本の南進論に遡ることができる。一九三〇年代末の日本は、石油の主な供給国だったアメリカ、イギリスと対立を深めていた。後藤乾一『昭和期日本とインドネシア』(一九八六年)によれば、陸軍の中枢部は「日本のいまや生命線は南方にある(中略)端的にいえば油の問題(中略)蘭印からとるより仕様ない」と認識するにいたる。その過程をつぶさに調べた後藤は、その思想の本質をこう喝破する。

「インドネシアは、経済的には『未開発の厖大《ぼうだい》な資源が放置』されており、政治的には『オランダ支配下で隷従』を強いられ、そして文化的には『きわめて低い段階』にとどまっている地域だと了解され、(中略)それ故、資源を必要とし、『アジア解放』を国家目標に掲げ、かつ『世界で最優秀な民族』たる（中略）日本人によって、そうした状況は打破されなければならない、という論理が構築されるにいたった」

そして日本は、占領へと突き進んだ。矢野暢『「南進」の系譜』（一九七五年）も、南進論は「南方圏をただたんに資源の所在地と捉えて、そこの歴史も文化も民族も無視した」思想だったと表現している。

我々日本人は、日本が南進と占領の当事者であった歴史を、たとえ現在のインドネシアにプチンタ・ジュパンが増えようとも、忘れてはならない。しかも、それから七〇年を経た今日もなお、インドネシアを資源の供給源とし続けている現実も、我々の眼の前にある。

インドネシア人の日本観もまた、日本による軍事占領の歴史を起点としている。ここでは、若き大学院生ステラ・エドウィナ・マゴワルの最新の修士論文（二〇一〇年）を紹介しておこう。彼女は、インドネシア人の日本観を綿密に跡づけ、その変遷を六段階に分けている。①占領者としての日本、②従軍慰安婦を強いた日本、③開発資金提供者としての日本、④先進国としての日本、⑤ハイテク国の日本、⑥ポップ文化の日本、である。

①と②が区別されているのは、従軍慰安婦問題の責任と補償が今なお未解決の問題として認識されているからである。①②における「野蛮で残虐」な日本観は、③を資源獲得のための経済的侵略とみる見方に姿を変えて一九七〇年代半ばまで色濃く残っていたという。その

後④⑤⑥を経て、憧れの日本観が前面に出てきた現在においても、インドネシアのすべての生徒たちは①②の歴史を小学六年と中学二年で必ず学ぶのである。

古典的インドネシア観を超えて

インドネシアを資源の供給源とみなす見方は、しかしながら、いま大きな時代の曲がり角に差しかかっている。インドネシアは、第4章で触れたように、鉱物資源の国内供給優先と国内加工の義務づけを法律にもとづいて実行しようとしている。これを一時的な資源ナショナリズムの高まりとみてはならない。高位中所得国入りを目前にしたインドネシアは、内需の充足と雇用・付加価値の創出という国益を優先せざるを得なくなっている。

日本が今後もインドネシアの鉱物資源ビジネスにかかわるのであれば、それはもはや日本のための資源獲得ではなく、インドネシアの内需と技術蓄積への貢献という面を第一に考えなければならなくなるだろう。

機械類の市場、わけても四輪・二輪車市場は「日本ブランドの牙城」であり続けているが、そこには新しい展開が起きている。一つは、完成車・部品の組立製造から、素形材・素材の製造への産業構造の深化である。完成車の市場規模が拡大するにつれて、これまでインドネシアの弱点だった鍛造、精密鋳造、熱処理、金型などの素形材・関連産業、高級鋼鈑や特殊鋼などの素材産業に輸入代替投資のチャンスが生まれている。

もう一つの展開は、FTA（自由貿易協定）を利用した広域市場ビジネスである。インドネシアは日本と二国間協定を結び、ASEANを母体としてAFTA（ASEAN自由貿易協定）、中国、韓国、日本、インド、豪州・ニュージーランドとそれぞれASEANプラスワンFTAを締結している。ASEAN域内での部品の相互調達はすでに多くの日系企業が行っているが、インドネシアとインドの間の部品取引などの動きも出てきた。

だがそれよりもむしろ、ここで強調したいのは、資源の供給源か、機械類の市場か、という古典的対インドネシア観を超えたところに新しいビジネスチャンスが開けつつある、という点である。そのチャンスを一言でいうなら、一億人を超える中間層に向けた「日本」を活かした消費財・サービスの提供である。

飲食品、日用消費財、美容・健康・ファッション関連財では、一握りの日系企業が活躍しているが、これから膨らむ市場の開拓余地は大きい。サービス分野にはさらに多様な可能性がある。小売、外食から、生命保険、IT、健康・医療、教育、環境ビジネスにいたるまで、日本がこれまでほとんど未開拓だった分野である。

インドネシア人消費者の間には、日本ブランドに対する「高い技術力」「たしかな品質」という評価が定着している。そこにもう一つ、彼らのもっている日本に対する肯定的なイメージ――たとえば「健康志向」「清潔」「カワイイ」「美味しい」「環境配慮」「消費者フレンドリー」など――に沿った価値を具体化し、アピールしていくことは可能なのではないか。そうしたプラス価値の財・サービスを、中間層が少し手を伸ばせば届くくらいの価格帯で提供できれば、チャンスは大いに開けるのではなかろうか。

イスラムに歩み寄る

日本側からプラス価値をアピールするだけでなく、同時に日本の側もインドネシア社会の文化や価値観を尊重する姿勢、それを理解しようとする心構えが大切になる。「未開発のまま放置された資源」を日本が無尽蔵に手に入れられた時代が終わるのと同じように、「根本はそこに文化がなかった」(高見順『蘭印の印象』一九四一年)と断じた古き日本人の心的態度とは、これからの我々は一線を画さねばならない。

とりわけ日本人にとって理解が難しかろうと思われるのはイスラムである。日本人はあまりにイスラムが未知の存在であるがために、九・一一テロ事件以降、イスラムすなわち「過激」「危険」というイメージを抱きがちである。あるいは、そこまでいかなくても、インドネシアでのビジネスや生活にイスラム的要素が支障にならないか、という不安を覚える日本人は多いだろう。

もちろんイスラムを理解するためには基礎知識が必要だ。だが、いくつかの要点を押さえておけば、それ以上にイスラムを特別視することはない。神への信仰が日々の生活のなかに溶け込んでいるという点ではイスラム教徒もキリスト教徒もあまり変わりがない。世界を見渡せば、宗教と日常とを切り離してしまった大多数の日本人の方がむしろ異質なほどだから、他国にあっては人々の信仰ある生活を尊重する気持ちが日本人には必要だろう。

生産の場において押さえるべき要点は、会社内に礼拝できる場所を設ける、金曜昼の礼拝集会への参加を認める、年に一度の断食月《ラマダン》明け大祭（レバランまたはイドゥル・フィトリ）の前にボーナスを支給する、などである。日々の礼拝時間、ジルバブ（女性の髪の毛を覆う被り物）の着用、食堂でのイスラム料理の提供などは、インドネシア人担当者に管理を任せることで多くの日系企業は支障なく生産活動を遂行している。

インドネシアの場合、マナド人（北スラウェシ）やパプア人はプロテスタント、フローレス人はカトリック、バタック人（北スマトラ）や華人にもキリスト教徒が多く、バリ人はヒンドゥーなどと、組織のなかに非イスラム教徒が一定程度いて、それぞれの宗教を尊重しながら協働しているのが一般的な姿である。むしろ宗教と民族集団の偏りを避けた組織づくりをすることが、より重要かもしれない。

一方、イスラムを「市場」ととらえる見方が、近年、非イスラム諸国を含めて世界に広がっている。世界のイスラム人口は全人口の二四％にあたる約一六億人。その八分の一を占めるインドネシアは、世界のイスラム市場に向けた突破口にもなり得る。そこでカギを握るのが、ハラル認証制度である。

ハラル(halal)とは、イスラム法で許されている、という意味である。逆に、ハラム(haram)は、イスラム法で禁じられている行為であり、これを犯すと罰則がある。ハラル製品というのは、豚に由来する成分、定められた方法によらずに処理された肉、アルコール成分といったハラムを含まない製品のことで、消費者の口に入る飲食品、医薬品だけでなく、肌に触れる化粧品、洗剤・シャンプーなどの日用消費財も含まれる。

ハラル製品を認定するのがハラル認証制度である。インドネシアでは、保健省を窓口として、政府から独立したインドネシア・ウラマ評議会（ＭＵＩ）がハラル認証を行う制度が一九九四年に始まった。二〇〇四年にマレーシアが政府主導でハラル認証の国際標準化を推進し始めると、この制度の国際的認知度が上がった。

現在、インドネシア、マレーシア、シンガポール、ブルネイの四ヵ国は、各国の認証を相互に認めている。ある日系企業は、マレーシアでハラル認証を得てインドネシアで日用消費財を生産し、中東・アフリカのイスラム圏数十ヵ国向けに輸出もしている。

ハラル認証の際の検査対象は、サプライチェーン全体におよぶ。たとえば、肉類を外部調達しているなら、調達元がハラル認証を取る必要がある。インドネシアをハラル製品の生産地にしている欧米企業が、自国内の食肉処理施設のハラル認証をMUIから取得する動きが相次いでいるのはこのためである。

ハラル認証は、欧米にも広がるイスラム市場の消費者にとって、製品の安全性と生産履歴管理（traceability）を兼ね備えた国際的規格になっていく可能性がある。

競合相手は誰か

新しい分野にチャンスが開け、市場に成長性が見込めるとしても、競合が厳しすぎてはビジネスにならない。この点はどうだろうか。

地場の有力企業グループが重工業から農園業、鉱業、新興サービス業へと軸足をシフトさせていたことを思い起こせば、地場資本と日本企業は得意分野を異にする可能性が大きい。日用消費財などの軽工業や新興サービス業に日本が参入しようとする場合には、販売網や市場調査力のすぐれた地場資本と手を組むことが成功のカギを握るだろう。つまり、地場資本との関係は競合よりは棲み分け、あるいは協業のパートナーということになる。

では、外資系企業はどうだろう。欧米系多国籍企業は、日用消費財の分野に強い。オランダ植民地時代に進出した蘭英系ユニリーバは別格としても、アメリカのコカコーラ、ファイザー（製薬）など一九七〇年代に地歩を固めた企業も多い。アジア通貨危機の直後、現地の有力ブランドを安値で買って進出した企業もある。仏ダノンはミネラルウォーターの代名詞になっているアクアを、米ハインツは唐辛子ケチャップのABCを買収した。したがって、日用消費財の分野では、商品や市場セグメントの差別化などで多国籍企業のブランド力にいかに対抗するかが重要な戦略になろう。

二〇〇〇年代にやはり買収によって進出してきたのが、シンガポールとマレーシアである。それぞれの政府系投資ファンドであるトゥマセックとカザナの関心は、主に通信と金融にある。

マレーシア、タイの大資本は、アグリビジネスで事業を拡大している。マレーシアの有力華人企業家ロバート・クォクの甥クォク・クンホンを所有主とする新興のウィルマー・グループ（本社シンガポール）は、二〇〇六年にクォク・グループの農園・油脂部門を傘下に編入して一挙にアジア最大級のアグリビジネス・グループに躍進した。このウィルマーが現在インドネシア最大の外資系グループであり、飼料を生産するタイのCPグループも上位にある（二〇一一年、*GlobeAsia*）。東南アジア資本は、通信、金融、およびアグリビジネスで、インドネシア地場資本と競り合う関係にある。

続いて近年急速にプレゼンスを増しているのが、韓国と中国である。第4章でみたとおり、この二国は、インフラや発電事業、製造業で官民一体型の投資を加速させている。日本と得意分野が似通っており、競合可能性が大きい。

とりわけ韓国は、製造業だけでなく、環境ビジネスでも官民挙げてのアピール力を発揮している。ドラマ、アニメ、Jポップならぬ Kポップでも、日本を猛追している。しかも、韓国の若者のインドネシア留学が増えている点も、他国にはみられない特徴だ。

遅ればせながら日本も、二〇一〇年半ばあたりからインドネシアへの投資が増加し、一九七〇年代、一九九〇年代に次ぐ第三次投資ブームの兆しをみせている。欧米系や他のアジア資本に後れたものの、経済全体のパイが膨らむプラス・サム・ゲームにおいては日本の参戦チャンスはまだ開かれていると考えていい。

3　新しい日本＝インドネシア関係に向けて

インドネシア人の目に映る日本のソフトパワー

北スラウェシ州都マナド沖でマグニチュード九の大地震・津波が発生して周辺各島の沿岸部が大規模な被害を受け、ただちにユドヨノ大統領はASEAN地域フォーラム（ARF：ASEAN・日米中など二六ヵ国とEUからなる安全保障会合）に人道支援を要請した。日本も急遽、自衛隊を派遣して捜索救助と医療活動にあたることになった。

こうした想定のもとで、二〇一一年三月半ばに五日間をかけて、インドネシアと日本の共催によってARFの災害救助実働演習が実施される予定だった。だが、その四日前に東日本大震災が発生し、自衛隊は参加を中止せざるを得なかった。

災害救助と防災は、インドネシアが重視する新しい国際協力分野である。日本との協力に対する期待は大きい。東日本大震災後に日本を訪れたユドヨノ大統領は、環太平洋火山帯に位置する日本とインドネシアはともに高い自然災害管理能力が求められるとしたうえで、「日本は小学校どころか幼稚園から防災教育をしている。防災の文化がある」と称讃した。

日本の援助事業にかかわりをもったことのあるインドネシアの政府関係者や有識者は、日本の援助がインフラ建設や技術供与にとどまらず、人材の育成や制度づくりをともなう点を日本の長所として挙げる人が多い。インドネシア大学元学長ウスマン・ハティブ・ワルサもその一人である。日本で医学博士号を取得した留学経験者でもある彼は、「日本から我々が学ぶのは、技術や知識の背後にある日本人の勤労精神《エトス》、勤勉の文化だ」と指摘する。

インドネシアの機械部品産業の生産現場にこの二〇年来浸透してきた「カイゼン」や「5S（整理、整頓、清掃、清潔、しつけ）」もまた、この勤労精神がシステム化した一つの姿であろう。日本と深く接したインドネシア人たちの目に映るこうした勤労精神にこそ、日本の

アチェ州都バンダ・アチェの美しい大モスクの前庭に、コトハナの黄色い小さい花がたくさん咲いた（2010年12月）（提供◎NPO法人コトハナ）

ソフトパワーの核心がありそうだ。

両国の交流が政府間、民間同士、地方と地方、人と人との関係へと多層化していき、新しい領域へと幅を広げていくにつれて、プチンタ・ジュパンたちの「日本好き」もまた、単なる現代風トレンドからより深い日本に対する理解へと発展していくことが期待される。

たとえば、人と人との交流では、神戸芸術工科大学出身の西川亮が代表を務めるNPO法人コトハナは、大地震の被災者の心と心をつなぐ活動を展開している。神戸とインドネシアのアチェ、西スマトラ州パダンなどの被災地で、花びら型のカードに震災への思いを一人一人に書いてもらい、黄色い小さい花を各地に咲かせる活動だ。

インドネシアは日本以上にNGOが盛んな国なので、人と人をつなぐ活動はこれからも多様な広がりをみせる可能性を秘めている。

日本こそが変わる時

インドネシアは、人口規模が日本の約三倍になる今世紀半ばに、名目GDPが日本をわずかに上回って世界第七位になるという予測がある（ゴールドマン・サックス証券、二〇〇七年）。これは一人当たり名目GDPが日本の約三分の一になることを意味する。現在は一四分の一（二〇一〇年）なので、今世紀前半は日本とインドネシアの経済力の差が急速に縮まっていく時期になるだろう。

「インドネシアは変わり始めている」という認識を日本はもつ必要があろう。日本とインドネシアを、先進国と発展途上国、援助する側とされる側、大人と子供、と思っていると、相手が一人前の口をきこうものなら「生意気な」という反応が思わず出てしまう。そうした反応をインドネシア人は敏感に察知する。顔には出さないが、プライドの高い人たちだ。彼らの価値観からすると「ソンボン（傲慢《ごうまん》）」というのは最低の人物評である。

インドネシアが変わり始めている証左の一つに、すでにみた援助依存からの訣別がある。日本からの援助残高はまだ例外的に大きいが、毎年の支出純額でみれば二〇〇六年から連続してマイナスを記録している。つまり、援助供与額より返済額の方が上回っている。

日本のソフトパワーをインドネシア人に理解してもらうのと同じように、日本人もインドネシアのソフトパワーを理解しようとすることが大切である。

インドネシアのソフトパワーにはさまざまな側面があろうが、これからの世界において貴重な価値をもつと思われるのが、本書でたびたび触れてきた多様性に対する寛容さである。国内にあっては、国章ガルーダがつかんでいるリボンに書かれた国家標語「多様性のなかの統一（ビネカ・トゥンガル・イカ）」を実践する。対外関係にあっては、各国の多様性を受け容れながら利害を調整する。こうした特性は、文語よりも口語を得意とするインドネシア人の演説力とも相まって、国際舞台の場でいかんなく発揮される。日本人にはなかなかマネのできないソフトパワーである。同じ島国ではあっても、東西海上交易の要衝で常に外部からの影響にさらされてきたインドネシアは、極東の辺境に位置する日本とは大きく異なっている。

我々日本人がこれからインドネシアとより緊密な国際関係を築き、ビジネスを展開し、人と人との交流を図っていくにあたって、優劣を抜きにしてお互いの個性を理解し、認め合う間柄を作っていくことが望ましい。そのためには、日本人の側が変わっていかなければならない。

終　章

21世紀の経済大国を目指して

インドネシアの将来を担う制服姿の小学生たち（「マスタープラン」より）

「安定と成長」のインドネシア

二〇〇四年に民主主義を確立したインドネシアは、政治体制の安定を確保した。これから二〇三〇年にかけて、インドネシアは人口ボーナスの効果が最も大きくなる時期に差しかかる。この二つの条件を得た今、人口、資源、国土からみたインドネシアの潜在的大国性が活かされる局面に入った。インドネシアはこれから、またとない持続的成長のチャンスを迎える。これこそが、この本で私が伝えたかったインドネシア像である。

政治体制の土台が安定し、一〇年、二〇年の単位で「安定と成長」のチャンスに恵まれることは、ある国の歴史のなかでそれほど頻繁に起こることではない。建国以来のインドネシアの七〇年近い歴史のなかで、一九七〇年代に次いでこれが二度目のことではないか、と私は思っている。

一九九〇年代のインドネシアは、見た目には今よりもずっと華やかな投資ブームに沸いていた。だが、政治体制の土台は内側から腐食を起こしつつあった。一〇年、二〇年先の「安定と成長」をとても展望できる状況にはなかった。

インドネシアが民主化という名の大河を渡って向こう岸にたどり着いたことは、一つの強みとしてこれから効いてくることだろう。大河の手前にいる中国、ベトナム、マレーシアなどは、いつ大河に放り込まれる時が来るか、混乱や犠牲を最小限におさえて渡り切ることができるか、現在はそれを見通すことができない。

人口という要素も、インドネシアのもう一つの強みとして効いてくる。「タイやベトナムと比べてインドネシアは何が違うのか」という問いの答えは、「経済規模が違う」ということだと述べた。一国の経済規模がタイの約二倍、中間層人口が約二倍なのも、結局のところ、インドネシアの人口規模が大きいためである。長期的に一人当たりGDP水準の差が縮まっていくとすれば、インドネシアの経済規模はやがてタイの三倍以上になり、ベトナムには追い上げられたとしても二倍以上を維持する計算になる。

そして、これから約二〇年のタイムスパンで意味をもってくるのが、人口ボーナスである。中国、タイ、ベトナムが人口ボーナス期間を終えた後もしばらく、インドネシアでは人口ボーナスがもたらす成長のチャンスが続く。

民主主義国であり、インドネシアの五倍の人口を擁し、人口ボーナスがインドネシアより約一〇年遅くまで続くとみられるのがインドである。政治体制と人口という本書の視点からすると、インドネシアとインドの両国が自国の強みをうまく活かすことが、アジア全体の今後の持続的成長を実現する一つのカギになる、という展望がみえてくる。

人口ボーナスを活かすための条件

ただし、人口ボーナスがもたらすのは、あくまで成長のチャンスでしかない。チャンスは、適切な政策や制度があって初めて、有効に活かされる。その政策・制度とは、ボーナスを生み出す源泉である出生率の低下を継続させること、ボーナスの原動力である生産年齢人口に就業の機会を与えること、この二つである、と本書は整理した。

前者はすなわち人口抑制政策であり、後者は就業を促す労働・教育政策、および雇用増加を促す経済開発政策である。これらの政策を実施することによって人口ボーナスの効果が現れ、実際に経済成長が加速すれば、加速した成長がまた生産年齢人口の就業機会を広げる、という好循環が生まれる。

ここに述べた政策課題は、発展途上国に一般的に当てはまる。だが、大人口を擁する発展途上国の政府は、小国の政府に比べて試練が大きい。なぜなら、政策の対象となる人口が大規模だからである。その最たる例である中国政府は、強力な「一人っ子政策」を実施し、新規参入労働力の雇用維持に必要な最低成長水準を八%とすることによって、人口ボーナスの効果を活かすことに一定の成功をおさめた。

インドネシアも、スハルト体制のもとでは、人口抑制、教育義務化、経済開発の各政策を強力に推進した。そして、人口ボーナス・モデルが想定する以上に高貯蓄・高投資主導の経済成長を実現させた。

だが、民主主義体制下のユドヨノ政権は、スハルト体制と同じ手法は使えない。その一方で、雇用維持に必要な六％成長を実現するための経済開発政策は、待ったなしで実行しなければならない。ユドヨノが直面したのは、民主主義と開発との相克であった。

民主主義と開発の相克を超えて

インドネシアが民主主義体制を確立したこと自体は大いに価値あることである。だが、民主主義体制のもとで開発を進めるのは、実はたやすいことではない。

本来、開発と民主主義は両立しにくい。開発と民主主義をどう調和させるかは、開発途上国が共通に直面してきた難問であったと、末廣昭《すえひろあきら》『タイ——開発と民主主義』（一九九三年）は端的に指摘している。すなわち、経済開発は、それに実効性をもたせようとすればするほど、政策決定の中央集権化や政治の長期安定性を要請しがちである。これに対し、民主主義は政治の分権化や選挙による政権交替を不可欠の要件とするから、民主化の推進は開発が要求する政治体制とぶつかってしまう。

インドネシアは民主主義を選択した。もはや権威主義的な「鶴の一声」は存在せず、あらゆる決めごと——法規の制定から、民間業者選定、土地収用、労使協定にいたるまで——に際して、民主主義的手続きが必要になる。地方分権制のもとでは、中央は各地方の独自性を尊重しつつ、全体の調整を図らなければならない。

そしてもう一つ、インドネシアは、援助依存からの訣別という決断をした。外国援助を国家予算のなかに組み込んで「ゲタをはいた開発推進力」を得るよりも、外国ドナーにあれこれ指図されることのない「経済運営上の自立性」を選んだのである。民主主義と地方分権にともなう調整コストに加えて、ゲタを脱いだ等身大の資金力もまた、開発の推進という観点からは制約要因になる。

こうした制約要因を織り込んだうえで、民主主義体制のもとでいかに開発を推進するか、という難問に対してユドヨノ政権が出した回答が「インドネシア経済開発加速・拡大マスタープラン 二〇一一〜二〇二五年」であった。

政権が「マスタープラン」の策定過程に地方政府や経済団体の参加をあおいだのは民主主義の作法にしたがったものだが、おそらく狙いはそれだけではない。ユドヨノ大統領にとって重要なのは、二〇一四年の自身の任期を超えて「マスタープラン」を継続させることである。

できる限り幅広いステークホルダーを巻き込んでコンセンサスを形成しておく。インドネシア経済回廊を「ASEAN連結性」構想の一部分という位置づけにしておく。任期中に、長期大型プロジェクトの布石を打って始動させる。こうした積み重ねは、政権交替が避けられない民主主義体制のもとで開発の継続性を担保しようとするユドヨノなりの工夫ではないだろうか。

ユドヨノ政権は、経済面の成果が少なく、時間がかかりすぎると批判されている。だが実際には、政権は、権威主義体制の経済遺制を民主主義と整合的な制度に作り替える作業にかなりのエネルギーを費やしてきた。インフラ開発に民間資本を導入する制度整備しかり、援助依存財政の改革しかり、燃料補助金の削減しかり、官僚体制改革しかり、である。政治的には七年間で体制転換を成し遂げたインドネシアだが、経済的にスハルト型開発体制から脱却するにはより長い時間を要したことになる。そのうえで、民主主義的制度にのっとって、目指すべき総合的経済開発の長期的方向性と戦略を提示するところまできた。

過去の「開発体制」からの脱却、将来の「開発」に向けたスタート。この二つが、民主主義と開発の相克に悩みながらユドヨノ政権が一〇年をかけてなし得た経済面での成果になるのではなかろうか。

「フルセット主義」という経済開発戦略

インドネシアは、人口と資源を有する大国だが、工業化経験が浅い。資源小国で工業技術に強い日本とは対極にある。同じように工業化経験が浅い他のＡＳＥＡＮ諸国とは、大国性という点で異なる。中国やインドは、一〇〇年以上の工業化経験を有している。インドネシアの与件に合った経済開発戦略は、おそらくこれらの国々とはかなり違ったものになるだろう。

それをインドネシアは「マスタープラン」のなかで描こうとし、この本で私は「フルセット主義Ｖｅｒ．２・０」と表現した。その経済開発戦略を私なりにいま一度まとめれば、次のようになる。

資源輸出が脱工業化を招く「オランダ病」を克服して工業化を退行させない。かといって、工業化中心主義 (industrialization centrism) にもならない。製造業のほかに、農業・農園業、鉱業、サービス業のなかにも、それぞれ競争力あるセクターに成長のエンジンを配置する。そして、全国各地の特性に適した各セクターにおいて、雇用と付加価値を創出する。付加価値を創出するには、国内市場の購買力向上に応じた工業製品の輸入代替と、農鉱産物資源の切売りから加工へと移行する輸出代替とを並行して進行させる。そして、各セクターにおける生産性の向上、技術・知識の蓄積を長期的に促す政策的方向づけを与える、というものである。

この「フルセット主義」は、一定の人口と資源を有しつつも、工業化経験の浅い南アジアやアフリカ諸国に対して、示唆を与える経済開発戦略となるかもしれない。

二一世紀の経済大国を目指して

インドネシアは、第二期ユドヨノ政権中に低位中所得国（一人当たりGNP一〇〇六～三九七五ドル）から高位中所得国（同三九七六～一万二二七五ドル）へ移行することはほぼ確実である。

二〇二五年までに世界の一〇大経済大国に入るという「マスタープラン」の目標には、人口規模に見合う経済力をもった二一世紀の経済大国を目指す、というインドネシアのメッセージが込められている。

その目標を達成するための戦略が、国内に全方位で産業を発展させようとする、その「全方位」の範囲をさらに広げて復活してきた「フルセット主義」だった。その思想を支える強烈な国家的意思もまた、経済大国たらんとする国にとって必要な条件であろう。

政治体制が安定し、外交力が復活したユドヨノ政権のもとで、国際社会におけるインドネシアの総合的な国力も上昇してきている。ユドヨノ大統領は「二一世紀のグローバリズムは、包含的（inclusive）でなければならない」と唱える。このメッセージを世界に向けて堂々と説得的に主張することができる数少ないリーダー国として、インドネシアは一目置かれる存在になっていく、そうした独自のソフトパワーをもった国である。

第二期ユドヨノ政権が民主主義の作法にしたがいながら「開発」をスタートさせたことは、インドネシアが人口ボーナス後半期の効果を活かすために不可欠な政策的条件である。人口抑制政策についてもまた、民主主義時代に合致した形で制度が作り直されようとしている。労働・教育政策にはいまだ課題が多い。だが、そのなかでユドヨノ政権が、社会保障制度の構築に向けて第一歩を踏み出したことは意義が大きい。

インドネシアは今後、ユドヨノ政権から次期政権へと交替を経ながら、社会保障政策、科学技術政策といった中所得国としての課題、環境破壊やエネルギー浪費の回避という二一世紀型の課題に、より本格的に取り組んでいかなければならない。

インドネシアは、中国やインドと違って二桁成長はしない。年平均七・〇％だった権威主義体制下での二〇世紀型の経済成長を参照軸にすると、人口ボーナスの効果を引き出しつつ、民主主義と二一世紀型課題にともなう制約のもとで実現できる成長ペースは、年平均六〜七％とみるのが妥当なところだろう。その水準の成長を持続できれば、インドネシアの大国性は充分に活きてくる。

インドネシアは、大国らしいフルセット主義を携え、二一世紀の経済大国を目指して、マイペースで歩んでゆくことだろう。

あとがき

「インドネシアの『今』がわかる新書があったら嬉しいですね」

商工会議所機能を兼ねたインドネシア在住日本人会であるジャカルタ・ジャパン・クラブ（JJC）の今田公久理事長（当時）の一言から、この本の構想は始まった。二〇〇九年一二月のことである。

その年の三月、与党である民主主義者党が翌月の総選挙で勝利する予想がついた時点で、ユドヨノ大統領が再選され、インドネシアの「安定と成長」をより確固たるものにしようとするだろう、という見通しが立った。ほどなく海外のインドネシアに対する評価も一変した。けれども、日本国内ではまだ「混乱と停滞」のインドネシア観が根強く残っている。そのことにもどかしい思いを抱いているジャカルタの日本人ビジネス関係者は少なくなかった。先の一言には「インドネシアが変わりつつあることを日本に伝えてほしい」という思いが込められていた、と、私は理解した。

当時ジャカルタでインドネシア商工会議所の特別アドバイザーを務めていた私は、二〇一〇年六月に日本に帰国した。ちょうど日本国内でインドネシアへの関心が高まり始めたタイミングだ。全国各地から講演を依頼され、話のたびに聴衆の方々からたくさんの質問をいただいた。質疑応答のなかで、なるほどインドネシアはこうみえるのか、ここがわかりにくいのか、と逆に私の方が気づかされることが多かった。

本書は、この間の多くの日本人の方々との接触を通じて、インドネシアについての情報ニーズの高まりを肌で感じ、それに何とか応えなければ、という思いから生まれた。

本書が刊行にいたるまでには、多くの方々にご支援いただいた。インドネシア研究の先達である白石隆先生には、中公新書に企画を申請する最初の手がかりをいただいた。アジア経済研究所の大先輩である末廣昭東京大学社会科学研究所所長と、同僚のインドネシア研究者川村晃一氏には草稿全文を精読していただき、非常に貴重な多くのコメントをいただいた。日本経済新聞社ジャカルタ支局長野沢康二氏には、現地資料の調達を手助けしていただいた。心よりお礼を申し上げる。

私が自分のなかに自分なりのインドネシア理解を形づくるまでには、数多くのインドネシアの人々との悲喜こもごもの経験の共有がある。これらすべてのインドネシアの友人たち、そして、そうした経験を積む機会を与えてくれた日本貿易振興機構アジア経済研究所に深く感謝したい。

中央公論新社では、最初に相談にのっていただいた元『中央公論』編集長宮一穂氏、企画を通して下さった中公新書編集部の吉田大作氏、丁寧な作業で本書を完成させて下さった藤吉亮平氏に、大変お世話になった。

最後に、本書草稿の最初の読者になってくれた夫佐藤寛、いつからか母の応援団になってくれた息子たち、娘らしくない娘、嫁らしくない嫁をいつも温かく見守ってくれる両親と義母にお礼を言いたい。

二〇一一年一一月

佐藤百合

Indonesia, Oxon : Routledge
McCawley, Peter（2010）"Infrastructure Policy in Asian Developing Countries", *Asian-Pacific Economic Literature*, 24（1）
Morgan Stanley（2009）"Indonesia Economics : Adding Another "I" to the B-R-I-C Story?", Singapore : Morgan Stanley Asia Pte.
Nasution, Anwar（1983）*Financial Institutions and Policies in Indonesia*, Singapore : ISEAS.
Nitisastro, Widojo（2011）*The Indonesian Development Experience : A Collection of Writings and Speeches of Widjojo Nitisastro*, Singapore : ISEAS.
Ransom, David（1970）"The Berkeley Mafia and the Indonesian Massacre", *Ramparts*, October
Robison, Richard（1986）*Indonesia : The Rise of Capital*, Sydney : Allen & Unwin
Robison, Richard, and Vedi R. Hadiz（2004）*Reorganizing Power in Indonesia : The Politics of Oligarchy in an Age of Markets*, London : Routledge Curzon
World Bank（2011）"2008 Again?", *Indonesia Economic Quarterly*, March, Jakarta : World Bank

〈新聞・雑誌記事〉

"Asia's Worst Deal", *Business News*, 2001.8.13.
"Wawancara Jurnas dengan Presiden SBY"〔スシロ・バンバン・ユドヨノ大統領へのJurnal Nasional紙インタビュー〕, *Jurnal Nasional*, 2009.2.10.

Economic Development 2011-2025, Jakarta

Djiwandono, J. Soedradjad (2005) *Bank Indonesia and the Crisis : An Insider's View*, Singapore : ISEAS

Habibie, Bacharuddin Jusuf (2006) *Detik-Detik yang Menentukan : Jalan Panjang Indonesia Menuju Demokrasi*〔決定的瞬間——民主主義を目指すインドネシアの長い道のり〕, Jakarta : THC Mandiri

Higashikata, Takayuki, Etsuyo Michida, and Kazushi Takahashi (2008) "Quantitative Analysis of Indonesia's Short and Long-term Development Strategies", Background Paper No.4 for JICA-IDE Joint Workshop on Indonesia's Development Strategy and Future Direction of JICA's Assistance in Indonesia, Jakarta : JICA

Hisyam, Usamah et al. (2004) *SBY, Sang Demokrat*〔民主主義者 SBY (スシロ・バンバン・ユドヨノの略)〕, Jakarta : Dharmapena

KADIN Indonesia (2010) *Feed the World : Vision 2030 & Roadmap Food Sector Development 2010-14*, Jakarta : KADIN Indonesia

Komine, Takao, and Shigesabro Kabe (2009) "Long-term Forecast of the Demographic Transition in Japan and Asia", *Asian Economic Policy Review*, 4 (1)

Krugman, Paul (1994) "The Myth of Asia's Miracle", *Foreign Affairs*, 73 (6), (ポール・クルーグマン「まぼろしのアジア経済」『中央公論』1995年1月号)

Mangowal, Stella Edwina (2010) "Soft Power Jepang : Studi Kasus JENESYS (Japan-East Asia Network of Exchange for Students and Youths)"〔日本のソフトパワー：21世紀東アジア青少年大交流計画の事例〕, unpublished Master Thesis, University of Indonesia

Mason, Andrew (1997) "Population and the Asian Economic Miracle", *Asia-Pacific Population & Policy*, No.43

Matsumoto, Yasuyuki (2007) *Financial Fragility and Instability in*

〈英語・インドネシア語文献〉

Anwar, M. Arshad, Aris Ananta, and Ari Kuncoro eds.（2007）*Tributes for Widjojo Nitisastro by Friends from 27 Foreign Countries*, Jakarta : Kompas

——（2007）*Kesan Para Sahabat tentang Widjojo Nitisastro*〔ウィジョヨ・ニティサストロについての友人たちの印象〕, Jakarta : Kompas

Asian Development Bank（ADB）（2010）*Key Indicators 2010 : The Rise of Asia's Middle Class*, Manila : ADB

——（2011）*Asia 2050 : Realizing the Asian Century*, Manila : ADB

Asian Productivity Organization（APO）（various years）*APO Productivity Databook*, Tokyo : APO

Aswicahyono, Haryo, Hal Hill, and Dionisius A.Narjoko（2010）"Industrialisation after a Deep Economic Crisis : Indonesia", *Journal of Development Studies*, 26（6）

Auty, Richard（1993）*Sustaining Development in Mineral Economies : The Resource Curse Thesis*, London : Routledge

Badan Pusat Statistik（BPS〈インドネシア中央統計庁〉）（various years）, *Statistical Yearbook of Indonesia*, Jakarta : BPS

——（various months）*Trends of the Selected Socio-Economic Indicators of Indonesia*, Jakarta : BPS

Basri, M. Chatib, and Hal Hill（2001）"Indonesian Growth Dynamics", *Asian Economic Policy Review*, 6（1）

Bird, Kelly, Hal Hill, and Sandy Cuthbertson（2008）"Making Trade Policy in a New Democracy after a Deep Crisis : Indonesia", *The World Economy*, 31（7）

Boediono（2005）"Managing the Indonesian Economy : Some Lessons from the Past", *Bulletin of Indonesian Economic Studies*, 41（3）

Coordinating Ministry for Economic Affairs, Republic of Indonesia（2011）*Masterplan : Acceleration and Expansion of Indonesia*

―― (2010)「インドネシアにおいて経済成長の政治はいかにして復活したか」大塚啓二郎・白石隆編『国家と経済発展』東洋経済新報社
末廣昭 (1993)『タイ――開発と民主主義』岩波新書
丁麗興 (2011)「ポスト・スハルト時代におけるインドネシア華人社団の新たな発展」日本大学中国アジア研究センター・ワーキングペーパー 29号
日本経済研究センター (2007)「長期経済予測 (2006～2050年)――人口が変えるアジア」
本名純・川村晃一編 (2010)『2009年インドネシアの選挙』アジア経済研究所
増原綾子 (2010)『スハルト体制のインドネシア』東京大学出版会
松井和久編 (2003)『インドネシアの地方分権化』アジア経済研究所
松井和久・川村晃一編 (2005)『インドネシア総選挙と新政権の始動――メガワティからユドヨノへ』明石書店
見市建 (2004)『インドネシア――イスラーム主義のゆくえ』平凡社
水本達也 (2006)『インドネシア――多民族国家という宿命』中公新書
三平則夫・佐藤百合編 (1992)『インドネシアの工業化――フルセット主義工業化の行方』アジア経済研究所
望月健太郎 (2006)「東南アジアの事業再生・財務リストラ (インドネシア版)」『TMA News Japan』7号
安中章夫・三平則夫編 (1995)『現代インドネシアの政治と経済』アジア経済研究所
矢野暢 (1975)『「南進」の系譜』中公新書
リザル・スクマ (2009)「中国の台頭へのインドネシアの対応」恒川潤編『中国の台頭――東南アジアと日本の対応』防衛研究所

主要参考文献

〈日本語文献〉

相沢伸広（2010）『華人と国家――インドネシアの「チナ問題」』書籍工房早山

青木昌彦（2010）「雁行形態パラダイム Ver.2.0　日本、中国、韓国の人口・経済・制度の比較と連結」仮想制度研究所（www.vcasi.org）

アジア経済研究所編（各年版）『アジア動向年報』

梅澤達雄（1992）『スハルト体制の構造と変容』アジア経済研究所

大泉啓一郎（2007）『老いてゆくアジア』中公新書

尾村敬二編（1998）『スハルト体制の終焉とインドネシアの新時代』アジア経済研究所

加納啓良（2001）『インドネシア繚乱』文春新書

川村晃一（2004）「1945年憲法の政治学」佐藤百合編『民主化時代のインドネシア』アジア経済研究所

――（2011）「スハルト体制の崩壊とインドネシア政治の変容」『岩波講座　東アジア近現代通史10　和解と協力の未来へ』岩波書店

倉沢愛子（2011）『戦後日本＝インドネシア関係史』草思社

後藤乾一（1986）『昭和期日本とインドネシア』勁草書房

小林寧子（2008）『インドネシア――展開するイスラーム』名古屋大学出版会

貞好康志（2008）「スハルト体制の華人政策と反応」『華僑華人研究』第5巻

佐藤百合編（2001）『インドネシア資料データ集』アジア経済研究所

白石隆（1992）『インドネシア――国家と政治』リブロポート

――（1997）『スカルノとスハルト』岩波書店

佐藤百合（さとう・ゆり）

1958（昭和33）年，東京都生まれ．上智大学外国語学部卒業，インドネシア大学大学院博士課程修了（経済学博士）．81年，アジア経済研究所入所，インドネシアを担当．在ジャカルタ海外研究員、インドネシア商工会議所（KADIN）特別アドバイザーなどを経て，2010年より日本貿易振興機構アジア経済研究所地域研究センター次長．
著書『民主化時代のインドネシア』（編著，アジア経済研究所，2002年）
『インドネシアの経済再編』（編著，アジア経済研究所，2004年）ほか
論文「インドネシアの国家統治制度」（『現代インドネシアの地方社会』，NTT 出版，2006年）
「インドネシアの企業セクター再編」（『アジア研究』54巻2号，2008年）ほか

経済大国《けいざいたいこく》インドネシア
中公新書 *2143*

2011年12月20日発行

著　者　佐藤百合
発行者　小林敬和

本文印刷　三晃印刷
カバー印刷　大熊整美堂
製　本　小泉製本

発行所　中央公論新社
〒104-8320
東京都中央区京橋 2-8-7
電話　販売 03-3563-1431
　　　編集 03-3563-3668
URL http://www.chuko.co.jp/

Published by CHUOKORON-SHINSHA, INC.
Printed in Japan　ISBN978-4-12-102143-4 C1233

現代史